\ JUJU KOREAN LEVEL 2 \

JUJU KOREAN LEVEL 2

발행	2024년 03월 08일
저자	JUJU
펴낸이	한건희
펴낸곳	주식회사 부크크
출판사등록	2014. 07. 15(제2014-16호)
주소	서울특별시 금천구 가산디지털1로 119 A동 305호
전화	1670-8316
E-mail	info@bookk.co.kr
ISBN	979-11-410-7567-5

www.bookk.co.kr

JUJU KOREAN LEVEL 2

JUJU 지음

BOOKK

Contents

제 1 과

V 는지 / N 인지 알다(모르다)

This grammar is used to tell someone whether they know or don't know about facts, methods, reasons, etc.

Verb

(받침 O) 먹다 -> 먹+다 -> 먹+**는지**
(받침 X) 마시다 -> 마시+다 -> 마시+**는지**
*past
- 먹다 -> 먹었+다 -> 먹었+**는지**
- 마시다 -> 마셨+다 -> 마셨+**는지**

Noun

(받침 O) 선생님 -> 선생님+**인지**
(받침 X) 누구 -> 누구+**인지**
* past
- 선생님이다 -> 선생님이었+다 -> 선생님이었+**는지**
- 가수다 -> 가수였+다 -> 가수였+**는지**

예문 (Example sentence)

이 음식을 어떻게 만드는지 아세요? (*만들다 (ㄹ->X) -> 만드+다 -> 만드+는지)
저 사람이 누구인지 몰라요.

A: 청계천이 어디인지 아세요?

B: 청계천? 그게 뭐예요?

A: 청계천은 예전에 강이었어요. 근데 자동차 도로로 사용하다가
지금은 하천을 복원해서 다시 산책로로 만들었어요.

B: 아 그랬군요.

A: 저기 보이는 건물은 뭔지 아세요?

B: 저건 서울시청이에요.
서울의 중심지인 시청광장이 바로 저기 있어요.

A: 시청광장? 거기서 뭐하는 지 알아요?

B: 거기서 뉴스를 전하는 방송도 하고 전시회 같은 문화시설이 많아요.

A: 오, 한국에 대해서 정말 잘 알고 있네요.

A/V (으)ㄹ 지 모르겠다

This grammar is used to say something you are worried about or unsure of. 'I don't know if…'

Verb

(받침 O) 먹다 -> 먹+다 -> 먹+**을지 모르겠다**
(받침 X) 마시다 -> 마시+다 -> 마시+**ㄹ 지 모르겠다** -> 마실**지 모르겠다**

Adjective

(받침 O) 좋다 -> 좋+다 -> 좋+**을지 모르겠다**
(받침 X) 바쁘다 -> 바쁘+다 -> 바쁘+**ㄹ 지 모르겠다**

*past
행복하다 -> 행복했다 -> 행복했+**을지 모르겠어요**
먹다 -> 먹었+다 -> 먹었+**을지 모르겠어요**
*있다,없다
맛있다 -> 맛있+다 -> 맛있+**을지 모르겠어요.**

예문 (Example sentence)

내일 소풍을 갈**지 모르겠어요.**
영화가 재미있**을지 잘 모르겠어요.**
아리가 도착했**을지 잘 모르겠어요.**

A: 다음 주 시험을 잘 볼지 모르겠어요.

B: 열심히 공부했으니까 잘 볼 수 있을 거예요.

A: 네, 그래도 걱정이 돼요. 시험에 합격할지 모르겠어요.

B: 공부한 내용만 잘 기억하면 돼요.

A: 네, 알겠어요. 잘 준비해서 좋은 결과를 낼 거예요.

A/V (으)ㄹ 줄 몰랐다, N일 줄 몰랐다

This grammar is used when an actwion, situation is unexpected. (and surprised.)

Verb

(받침 O) 먹다 -> 먹+**을 줄 몰랐다**
(받침 X) 마시다 -> 마시+**ㄹ 줄 몰랐다**

Adjective

(받침 O) 좋다 -> 좋+**을 줄 몰랐다**
(받침 X) 바쁘다 -> 바쁘+**ㄹ 줄 몰랐다**

Noun

(받침 O) 선생님 -> 선생님**일 줄 몰랐다**
(받침 X) 기자 -> 기자**일 줄 몰랐다**

예문 (Example sentence)

한국어가 이렇게 재미있**을 줄 몰랐어요.** (이렇게, 그렇게, 저렇게 - Emphasize)
오늘 비가 올 **줄 몰랐어요.** (mainly use the subject with '이,가(O)/ 은,는(X)')
삼계탕이 이렇게 맛있**을 줄 몰랐어요.**

A: 이 카페의 커피 맛이 어때요?

B: 이렇게 맛있을 줄 몰랐어요.

A: 네. 정말 맛있어요. 그리고, 이 카페에서

이렇게 원두도 파는 줄 몰랐어요.

B: 저도 그랬어요. 어제 친구가 추천해줘서 왔는데,

이렇게 좋은 카페일 줄 몰랐어요.

A: 그렇네요. 다음에도 또 오고 싶어요.

A/V (으)ㄹ 거예요

This grammar is used to say guesses, possibilities.
(an explanation, an answer)

Verb

(받침 O) 먹다 -> 먹+**을 거예요**
(받침 X) 마시다 -> 마시+**ㄹ 거예요**

Adjective

(받침 O) 작다 -> 작+**을 거예요**
(받침 X) 크다 -> 크+**ㄹ 거예요** -> **클 거예요**

예문 (Example sentence)

주말이라서 차가 막힐 **거예요.**
옷이 조금 클 **거예요.**

A: 오늘 왜 그렇게 기분이 좋아 보여요?

B: 그냥... 아무것도 아니에요.

A: 혹시 좋은 소식이라도 있어요?

B: 맞아요. 저, 오늘 취직했어요. 그래서
조금 바빠질 거예요.

A: 정말이요? 축하해요!

B: 고마워요.

A: 이제 우리 부부 둘 다 직장인이네요.
앞으로 더 행복하게 살 거예요.

B: 네, 우리 함께 잘 살아봐요.

A/V (으)ㄹ 까요?

This grammar is used to ask a guess.

(Only questions, guesses.)

Verb

(받침 O) 먹다 -> 먹+**을까요?**

(받침 X) 마시다 -> 마시+ㄹ 까요? -> 마실**까요?**

Adjective

(받침 O) 좋다 -> 좋+**을까요?**

(받침 X) 바쁘다 -> 바쁘+ㄹ 까요? -> 바쁠 **까요?**

예문 (Example sentence)

오늘 차가 막힐**까요?** - 네, 주말이라서 차가 막힐 거예요.

이 옷이 클**까요?** - 네, 조금 클 거예요.

토픽 시험에 합격 할 수 있<u>**을까요?**</u> - 네, 합격할 수 있어요./ 합격할 거예요.

(합격하다 + 으(ㄹ) 수 있다 -> 합격할 수 있다 -> 합격할 수 있어요.)

(합격할 수 있다 + <u>으(ㄹ) 까요</u> -> 합격할 수 있<u>**을 까요?**</u>)

A: 저기 멀리 보이는 저 남자는 누구일까요?

B: 아마도 저 남자는 저기 벤치에 앉아 있는 여자의
남자친구일 거예요.

A: 그럴 수도 있겠네요. 그 여자가 계속 쳐다보고 있으니까요.

B: 맞아요. 그 남자도 그 여자를 쳐다보고 있어요.

A: 그럼 둘이 데이트를 하고 있을까요?

B: 네, 데이트일 거예요. 저도 데이트를 하고 싶어요.

V (으)ㄹ 까 하다

This grammar is used to say that you will act.
(just thinking, Not yet)

Verb

(받침 O) 먹다 -> 먹+**을까 하다**
(받침 X) 마시다 -> 마시+**ㄹ까 하다**

예문 (Example sentence)

내일 삼계탕(을) 먹**을까 해요.** (먹다)
내일 삼계탕(을) 먹으러 **갈까 해요.** (먹으러 가다)

A: 오늘 주말인데 뭐 할 거예요?

B: 잘 모르겠어요. 낚시를 할까 해요.

A: 좋은 생각이에요.

B: 낚시를 하면서 컵라면을 먹을까 하는데 같이 갈래요?

A: 좋아요. 저도 낚시를 하러 갈까 했는데 잘 됐네요.

B: 낚시를 하고 또 뭐 할 거예요?

A: 횟집에 갈까 해요.

A/V (으)ㄹ 테니까

This grammar is used to connect strong speculation or will.
The following sentence is mainly recommendation and request.

Verb

(받침 O) 먹다 -> 먹+다 -> 먹+**을 테니까**
(받침 X) 마시다 -> 마시+다 -> 마시+**ㄹ 테니까**

Adjective

(받침 O) 좋다 -> 좋+다 -> 좋+**을 테니까**
(받침 X) 바쁘다 -> 바쁘+다 -> 바쁘+**ㄹ 테니까**

예문 (Example sentence)

시험이 어려울 **테니까** 열심히 공부하세요.
명절에는 사람이 많**을 테니까** 미리 예약하세요.

A: 지금 뭐 하고 있어요?

B: 오늘 저녁에 먹을 음식을 요리하고 있어요.

A: 불고기예요?

B: 네, (음식이) 너무 많아요?

A: 괜찮아요. 제가 다 먹을 테니까 걱정하지 마세요.

B: 고마워요. 맛있게 만들 테니까 많이 드세요.

A: 그래요. 대한씨하고 민국씨도 올 테니까

저는 디저트를 준비할게요.

B: 그래요. 고마워요.

A/V (으)ㄹ 텐데, N일 텐데

This grammar is used for guessing.

(connect, finish)

Verb

(받침 O) 먹다 -> 먹+**을 텐데**
(받침 X) 마시다 -> 마시+**ㄹ 텐데** -> 마실 **텐데**

Adjective

(받침 O) 좋다 -> 좋+**을 텐데**
(받침 X) 바쁘다 -> 바쁘+**ㄹ 텐데** -> 바쁠 **텐데**

Noun

(받침 O) 휴가 -> 휴가**일 텐데**
(받침 X) 밤 -> 밤**일 텐데**

예문 (Example sentence)

미국은 지금 밤**일 텐데** 내일 전화해요.
내일 바쁠 **텐데** 오늘 열심히 한국어 공부할까요?

A: 오늘 날씨가 좋으면 좋을텐데... 갑자기 비가 오네요.

B: 맞아요. 비가 안 오면 산책을 갈텐데요. 아쉬워요.

A: 그럼 극장에서 영화라도 볼까요?

B: 좋아요.

A: 비가 더 많이 올텐데 큰 우산을 챙겨가요.

B: 그래요. 제가 우산을 가져올게요.

A/V 아야/어야 할 텐데(요)

This grammar is used to say words of hope in a worrying situation.

Verb

(받침 O) 먹다 -> 먹어+요 -> 먹어+**야 할 텐데(요)**

(받침 X) 마시다 -> 마셔+요 -> 마셔+**야 할 텐데(요)**

Adjective

(받침 O) 좋다 -> 좋아+요 -> 좋아+**야 할 텐데(요)**

(받침 X) 예쁘다 -> 예뻐+요 -> 예뻐+**야 할 텐데(요)**

예문 (Example sentence)

빨리 나아**야 할 텐데** 걱정이에요. (낫다-> 나아요, 나았어요/ 빨리 나으세요)

내일 소풍가요. 날씨가 좋아**야 할 텐데요.**

A: 만세씨, 회의가 몇시예요?

B: 오늘 오후 2시 입니다.

A: 그럼 회의자료를 준비해야 할 텐데요.

B: 저희 팀이 준비하고 있습니다.

A: 좋아요. 이번 회의는 신제품 출시와 관련된 회의니까,
신제품의 주요 기능과 특징에 대한 내용으로
준비해야 할 텐데요. 시간이 충분할까요?

B: 네, 괜찮습니다. 그럼, 회의자료는 PPT로 준비하면 될까요?

A: 네, 맞습니다. PPT로 준비해서, 회의 전까지 저에게 보내주세요.

B: 알겠습니다. 회의자료 준비해서 보내드리겠습니다.

제 3 과

A/V (으)니까, N(이)니까

This grammar is used to tell the reason.

The following sentences are questions, explanations, and recommendations.

(먹+으니까, 먹었+으니까(past tense)/ informal)

Verb

(받침 O) 먹다 -> 먹+다 -> 먹+**으니까**

(받침 X) 마시다 -> 마시+다 -> 마시+**니까**

Adjective

(받침 O) 좋다 -> 좋+다 -> 좋+**으니까**

(받침 X) 바쁘다 -> 바쁘+다 -> 바쁘+**니까**

Noun

(받침 O) 학교 -> 학교+**니까**

(받침 X) 선생님 -> 선생님+**이니까**

예문 (Example sentence)

비가 오**니까** 우산을 가져가세요.

날씨가 추우**니까** 집에서 공부할까요?

A: 날씨가 좋으니까 공원에서 산책도 하고 좋아요.

B: 맞아요. 저도 공원에 나와서 힐링하고 싶었어요.

A: 그럼 우리 공원에 나왔으니까, 운동도 해요.

B: 알았어요. 오랜만에 왔으니까

운동도 하고, 맛있는 것도 먹고, 재미있게 놀아요.

A: 네, 함께 나오니까 더 좋아요.

B: 그래요. 오늘은 하루 종일 즐겁게 보내요.

V 아서/어서

This grammar is used to tell the reason.
***The following sentence is a connection situation.
The two sentences have the same subject and do not ask questions,
suggestions or the past tense. (가서(O), 갔어서(X)), (formal,informal)

A verb that is usually used
가다, 오다, 만나다, 사다, 일어나다, 내리다 등

Verb

(ㅏ, ㅗ) 가다 -> 가+요 -> 가+서 -> 가서
(ㅓ,ㅜ,ㅣ …) 먹다 -> 먹어+요 -> 먹어+서 -> 먹어서
(하다) 공부하다 -> 공부해+요 -> 공부해+서 -> 공부해서

예문 (Example sentence)

아이스크림을 많이 먹어서 배가 아파요.
아침에 일어나서 커피를 마셨어요.
인사동에 가서 해물 파전을 먹을 거예요.

A: 우리 벚꽃 앞에 가서 사진을 찍을까요?

B: 좋아요. 여기 어때요?

A: 저기 오른쪽 나무 앞에 서서 찍어요.

B: 그래요.

A: 아, 너무 예뻐요.

사진을 찍고 인사동에 가서 해물 파전을 먹을까요?

B: 좋아요. 해물 파전도 먹고, 전통 찻집에 가서 전통 차도 마셔요.

N 때문에

This grammar is used to tell the reason.
The two sentences are not connected situation.

Noun

(받침 O) 눈 -> 눈+**때문에**
(받침 X) 강아지 -> 강아지+**때문에**

예문 (Example sentence)

눈 **때문에** 길이 막혀요.
눈 **때문에** 학교에 늦었어요.
눈 **때문에** 길이 미끄러워요.
강아지 **때문에** 행복해요.
강아지 **때문에** 행복했어요.
강아지 **때문에** 행복할 거예요.

A: 오늘 왜 이렇게 늦게 왔어요?

B: 죄송해요. 아침에 갑자기 잡힌 회의 때문에 늦었어요.

A: 그래요? 뭐 때문에 갑자기 회의를 했어요?

B: 새로운 프로젝트 때문에요.

A: 어떤 프로젝트예요?

B: 새로운 제품 출시 때문에 회의가 있었어요.

A: 오, 신기해요. 그럼 이번 프로젝트 때문에 바쁠 것 같은데요?

B: 네, 맞아요. 그래서 내일도 늦게 퇴근할 것 같아요.

A: 그래도 힘내세요!

B: 고마워요.

N 이라서

This grammar is used to tell the reason.

***The following sentence is a connection situation.

Noun

(받침 O) 겨울 -> 겨울 + 이라서

(받침 X) 가수 -> 가수 + 라서

예문 (Example sentence)

겨울**이라서** 너무 추워요.

가수**라서** 노래를 아주 잘해요.

A: 봄이라서 날씨가 좋네요. 이번 주말에 뭐 할 거예요?

B: 아직 모르겠어요. 날씨가 좋아서 산에 가고 싶은데,

일이 많아서 못 갈 것 같아요.

A: 산에 가고 싶은 이유가 있어요?

B: 맑은 공기를 마시고, 푸른 나무를 보면 기분이 좋아지거든요.

A: 그렇군요. 저도 산에 가고 싶은데, 아리씨하고

같이 가면 좋겠어요.

B: 그래요? 좋아요. 그럼 다음 주말에 같이 가요.

다음 주부터 휴가라서 시간이 있어요.

A: 좋아요. 다음 주말에 만나요.

B: 네, 그래요.

A/V 기 때문에, N(이)기 때문에

This grammar is used to tell the reason.
(It is mainly used for explanation, writing./ formal)
The following sentence emphasises that action is taken
for that reason.

Verb

(받침 O) 먹다 -> 먹+**기 때문에**
(받침 X) 마시다 -> 마시+**기 때문에**

Adjective

(받침 O) 좋다 -> 좋+**기 때문에**
(받침 X) 바쁘다 -> 바쁘+**기 때문에**

Noun

(받침 O) 선생님 -> 선생님+**이기 때문에**
(받침 X) 친구 -> 친구+**(이)기 때문에**

예문 (Example sentence)

바쁘**기 때문에** 점심을 못 먹어요. (바쁘다)
출장을 가**기 때문에** 가방을 준비해야 돼요. (출장을 가다)
열심히 노력했**기 때문에** 성공했어요. (노력하다 ->노력했다)

A: 서점에 무슨 책을 사러 가세요?

B: 다음 달에 토픽 시험이기 때문에 토픽 책을 사러 가요.

A: 저도 토픽 시험을 보는데, 어떤 책을 사야 할지 모르겠어요.

B: 언제 시험을 볼 거예요?

A: 저는 일이 많기 때문에 내년에 볼 예정이에요.

B: 그럼, 서점에 같이 갈까요? 제가 좋은 책도 추천해 줄게요.

A: 네, 좋은 생각이에요.

B: 네, 이따 만나요.

V 느라(고)

This grammar is used to tell the reason.
***The following sentence is a connection situation and the negative results.
(The two sentences have the same subject)

Verb - (verbs that need time)

(받침 O) 먹다 -> 먹+**느라(고)**
(받침 X) 마시다 -> 마시+**느라(고)**

예문 (Example sentence)

공부하**느라고** 잠을 못 잤어요.
저녁을 먹느라고 전화를 못 받았어요.

A: 오늘 왜 학교에 늦었어요?

B: 한국어 공부를 하느라고 그랬어요.

A: 한국어 공부를 하느라고요?

B: 네, 제가 요즘 한국드라마에 빠져서
한국어 공부가 더 재미있어요.

A: 무슨 드라마인데요?

B: '그해 우리는'이라는 드라마예요.

A: 아, 들어 봤어요.

B: 재미있어요. 리라씨도 그 드라마를 보느라고
시간 가는 줄 모를 거예요.

A: 저도 한 번 봐야겠어요.

B: 수업 후에 같이 볼까요?

만 (only)

Only

Positive sentence form

Noun

(받침 O) 빵 -> 빵+**만**

(받침 X) 커피 -> 커피+**만**

예문 (Example sentence)

아침에 커피**만** 마셨어요.

남동생**만** 있어요.

A: 오늘 점심 뭐 먹을까요?

B: 저도 잘 모르겠어요. 뭐 먹고 싶은 거 있어요?

A: 저는 어제부터 계속 짜장면만 먹고 싶어요.

B: 짜장면만요? 다른 음식은 안 먹고 싶으세요?

A: 네, 어제 드라마에서 짜장면 먹는 장면이 나왔는데

그때부터 짜장면 생각이 나요.

B: 그래요, 그럼 어서 짜장면 먹으러 가요.

밖에 (only)

Only

negative sentence form

Noun

(받침 O) 빵 -> 빵+**밖에**

(받침 X) 커피 -> 커피+**밖에**

예문 (Example sentence)

아침에 커피**밖에** 안 마셨어요. = 커피만 마셨어요.

남동생**밖에** 없어요 = 남동생만 있어요.

A: 도서관 사서님, 저 이 책 빌려도 될까요?

B: 네, 괜찮습니다. 다만, 이 책은 1주일 밖에 빌릴 수 없습니다.

A: 1주일 밖에요?

B: 네, 이 책은 희귀본이기 때문에 1주일만 빌릴 수 있습니다.

A: 알겠습니다. 그럼, 대여해 주세요.

B: 네, 감사합니다.

A/V (으)ㄹ 수 밖에 없다

This grammar is used to say that there is no other way.
(It is mainly used in negative situations.)

Verb

(받침 O) 먹다 -> 먹+**을 수 밖에 없다**
(받침 X) 마시다 -> 마시+**ㄹ 수 밖에 없다**

*배우다 -> (배우+어요 -> 배워요) -> 배우+**ㄹ 수 밖에 없다** -> 배울 **수 밖에 없다**
*듣다 -> (ㄷ->ㄹ) -> 들+**을 수 밖에 없다** (a circle consonant)
*만들다 -> (ㄹ ->X) -> 만드+**ㄹ 수 밖에 없다** -> 만들 수 밖에 없다

Adjective

(받침 O) 적다 -> 적+**을 수 밖에 없다** (few)
(받침 X) 바쁘다 -> 바쁘+**ㄹ 수 밖에 없다**

*ㅂ - 맵다 -> 매우+어요 -> 매워요. -> 매우+**ㄹ 수 밖에 없다.**

예문 (Example sentence)

다이어트 중이라서 많이 걸**을 수 밖에 없어요.**
속이 더부룩하면 소화제를 먹**을 수 밖에 없어요.**

A: 선생님, 다음 시험에 뭐가 나올까요?

B: 아직 모르겠지만,

확실한 건 공부한 문법과 단어가 나올 거예요.

A: 그럼 그냥 다 공부해야겠네요.

B: 맞아요. 공부할 수 밖에 없어요.

A: 근데 너무 많아서 잠을 줄일 수 밖에 없어요.

B: 그건 알지만, 그래도 공부해야 해요.

A: 네, 알겠습니다. 열심히 공부하겠습니다.

B: 그래요. 화이팅!

N (이)나 (1)

Or

(This grammar is used to select something.)

Noun

(받침 O) 빵 -> 빵+**이나**

(받침 X) 커피 -> 커피+**나**

예문 (Example sentence)

커피**나** 녹차를 마실까요?

빵**이나** 샌드위치를 살까요?

저는 피곤할 때 한우**나** 삼계탕을 먹어요.

A: 오늘 점심 뭐 먹을까요?

B: 먹고 싶은 음식 있어요?

A: 학교 앞 식당에서 짜장면이나 김밥을 먹을까요?

B: 짜장면이나 김밥? 둘 다 맛있겠어요.

A: 그럼 점심 먹고 커피나 차 마시러 갈까요?

B: 좋아요. 가요.

N (이)나 (2)

This grammar is used after a number. (it means "too much")

(Nomber+unit noun)+ (이)나

(세 시간, 책 네 권, 사과 다섯 개, 커피 다섯 잔~~~)

Noun

(받침 O) 책 4 권 -> 책 네 권+이나

(받침 X) 레몬 5 개 -> 레몬 다섯 개+나

예문 (Example sentence)

오늘 커피를 다섯 잔이나 마셨어요.

한국어가 너무 재미있어서 세 시간이나 공부했어요.

A: 오늘 공부 많이 했어요?

B: 네, 7시간이나 공부했어요. 내일 시험이라서 더 열심히 했어요.

A: 와, 7시간이나요? 대단해요. 저도 좀 더 공부해야겠어요.

B: 그래요, 우리 공부 열심히 해요.

A: 네, 내일 시험 잘 봐요.

제 6 과

N 마다

N+마다 - For each, every

(매+noun – every)

Noun

(받침 O) 아침 -> 아침+**마다**

(받침 X) 시간 -> 시간+**마다**

예문 (Example sentence)

아침**마다** 조깅을 해요.

이 버스는 1시간**마다** 한 번씩 와요.

50분**마다** 10분씩 쉬어요.

*** 날**마다** = 매일 (vocabulary - 어제, 오늘, 내일)

　　주**마다** = 매주 (vocabulary - 지난 주, 이번 주, 다음 주)

　　해**마다** = 매년 (vocabulary - 작년, 올해, 내년 / 새해(new year))

*** 씩 - This grammar is used after a number. (The quantity is repeated.)

(Nomber+unit noun)+ 씩

(세 시간씩, 책 네 권 씩, 사과 다섯 개씩, 커피 다섯 잔씩~~~)

하루에 세 시간씩 공부해요.

책을 한달에 4권씩 읽어요.

비타민을 하루에 한 알씩 드세요.

A: 회의가 몇 시에 있어요?

B: 회의는 매주 금요일 마다 10시에 있습니다.

A: 알겠습니다. 그럼 오늘 10시에요?

B: 네, 맞습니다.

A: 감사합니다.

V 아/어 놓다

This grammar is used to end an action and say that the situation is continuing.
(It's mainly related to things.)
(V 아/어 두다 - a similar meaning)

Verb

(받침 O) 닫다 -> 닫아요 -> 닫아+놓다
(받침 X) 사다 -> 사요 -> 사+놓다

예문 (Example sentence)

문을 닫아 **놓으세요.**
오렌지 주스를 사 **놓았어요.**
요리해 **놓았으니까** 전자레인지에 데워 드세요. (*heat in a microwave)

A: 집이 참 깨끗하고 정돈되어 있어요.

B: 네, 제가 아침 일찍 일어나서 정리해 놓았어요.

A: 아침 일찍부터요? 정말 부지런하세요.

B: 아니에요. 그냥 깨끗한 집에서 사는 게 좋아요.

A: 저도 그럴 것 같아요.

B: 제가 요리해 놓았는데 같이 식사할까요?

A: 정말 맛있겠어요. 감사합니다.

B: 맛있게 드세요.

A: 네, 잘 먹겠습니다.

V 아/어 **있다**

This grammar is used to end an action and say that the situation is continuing. (It's mainly related to people)

(verbs related to wearing and 자다, 일어나다 etc use 'V 고 있다' -> (It means there's some movement going on.) -> 요리하고 있다.

Verb

(ㅏ ,ㅗ) 앉다 -> 앉아+요 -> 앉아+**있다**

(ㅓ ,ㅜ, ㅣ …) 서다 -> 서+ 요 -> 서+**있다**

(하다) 입원하다 -> 입원해+요 -> 입원해+**있다**

예문 (Example sentence)

버스 정류장 앞에 서 **있어요.**

코로나에 걸려서 지금 입원해 **있어요.**

창문이 열려 **있어요.** (열리다)

음료수가 책상에 놓여 **있어요.** (놓이다)

옷이 옷걸이에 걸려 **있어요.** (걸리다)

A: 버스 정류장 앞에 서 있는 나무는 무슨 나무예요?

B: 소나무예요.

A: 소나무는 왜 저렇게 곧게 서 있을까요?

B: 소나무는 뿌리가 깊어서 바람이 불어도 쓰러지지 않아요.

A: 그래서 소나무는 힘과 의지의 상징이라고 하나 봐요.

B: 네, 맞아요. 소나무처럼 씩씩하고 당당하게 살아야겠어요.

V 은 채로

This grammar is⋯

Someone did a movement.

It is used to do other things in that state.

(Use in unusual situations.)

Verb

(받침 O) 입다 -> 입+**은 채로**

(받침 X) 마시다 -> 마시+ㄴ **채로** -> 마신 **채로**

예문 (Example sentence)

물을 마신 **채로** 말을 했어요.

요리를 하다가 앞치마를 입**은 채로** 슈퍼에 갔어요.

창문을 열어 놓**은 채로** 자서 감기에 걸렸어요. (열어 놓다)

창문을 열어 둔 **채로** 외출을 했어요. (열어 두다)

A: 밖에 나가서 뭐 좀 먹을까요?

B: 저도 가고 싶은데, 옷 갈아입을 시간이 없어요.

A: 그냥 입은 채로 나가요.

B: 밖에 추운데, 반팔만 입고 가도 괜찮을까요?

A: 그럼 반팔 위에 패딩을 걸친 채로 가요.

B: 그래요, 알았어요.

'르' 불규칙

Irregular

(르 – 빠르다, 다르다, 모르다, 부르다, 오르다, 서두르다 etc.)
If 'a circle consonant grammar' comes after these words.
it change to '르 (- X) -> ㄹ -> and added 라 -> ㄹ 라'
빠르다 -> 빨라요/ 빨라서
(Let's memorize it like vocabulary.)

Regular -이르다, 들르다
(밤12시에 이르러 도착했다, 가게에 들러서 우유를 샀다.)

(-아요/어요)   **(-아서/어서)**

빠르다 -> **빨라**요   빠르다 -> **빨라**서
다르다 -> **달라**요   다르다 -> **달라**서
모르다 -> **몰라**요   모르다 -> **몰라**서
부르다 -> **불러**요   부르다 -> **불러**서
오르다 -> **올라**요   오르다 -> **올라**서
서두르다 -> 서**둘러**요   서두르다 -> 서**둘러**서

예문 (Example sentence)

차가 막힐 때는 지하철이 **빨라**요.
기분이 좋아서 노래를 **불렀**어요.
노래를 **불러**서 기분이 좋아졌어요.

A: 저기 저 새 보세요! 정말 빨라요.

B: 와, 저렇게 빨리 날면 어디든 갈 수 있겠어요.

A: 맞아요. 새는 빨라서 먹이를 구하러 멀리 가는 것도 가능하죠?

B: 네, 저도 저렇게 빨리 날 수 있었으면 좋겠어요.

A: 우리도 열심히 노력하면 언젠가는

저렇게 빨리 날 수 있을 거예요.

'一' 탈락

adjectives and verb words consisting of '一'.
If 'a circle consonant grammar' comes after these words.
' — ' will be deleted.

(-아요/어요)	(-았어요/었어요)	(-아서/어서)
나쁘다 ->	나빠요 ->	나빴어요 ->	나빠서
아프다 ->	아파요 ->	아팠어요 ->	아파서
바쁘다 ->	바빠요 ->	바빴어요 ->	바빠서
배고프다 ->	배고파요 ->	배고팠어요 ->	배고파서
예쁘다 ->	예뻐요 ->	예뻤어요 ->	예뻐서
쓰다 ->	써요 ->	썼어요 ->	써서
끄다 ->	꺼요 ->	껐어요 ->	꺼서

예문 (Example sentence)

꽃이 너무 예뻐요.
너무 더워서 히터를 껐어요.

A: 와, 꽃들이 정말 예뻐요.

B: 네, 정말 예쁘네요.

A: 특히 저 빨간 꽃은 더 예뻐요.

B: 네, 꽃이 너무 예뻐서 선물하고 싶은 사람이 있어요.

A: 누구요?

B: 제 여자 친구요.

A: 아, 정말 좋겠네요.

'人' 불규칙

Irregular

words consisting of '人'.

If 'a circle consonant grammar' comes after these words.

'人' will be deleted.

(Let's memorize it like vocabulary.)

Regular -웃다, 씻다 etc.

(손을 씻어요, 많이 웃어요)

	(-아요/어요)	(-아서/어서)	(-(으)니까)
낫다 ->	나아요	나아서	나으니까
짓다 ->	지어요	지어서	지으니까
붓다 ->	부어요	부어서	부으니까
젓다 ->	저어요	저어서	배고프니까

예문 (Example sentence)

시럽을 **저어서** 드세요.

감기에 걸려서 목이 **부었어요.**

빨리 **나으세요.**

새 아파트를 다 **지었어요.**

A: 감기에 걸렸다면서요? 요즘 몸 좀 나아졌어요?

B: 네, 많이 나아졌어요. 약 먹고 쉬니까
열도 내리고 몸살기운도 없어졌어요.

A: 다행이에요. 걱정했어요.

B: 고마워요. 나으니까 기분이 좋아요.

A: 그럼 우리 같이 운동하러 가요.

B: 좋아요. 같이 운동해서 더 건강해져요.

' ㅎ ' 불규칙

Irregular

Adjective words consisting of ' ㅎ '.
If ' 으- ' grammar' comes after these words. ' ㅎ , ' 으 " will be deleted.
(파랗다 -> 파랗+(으)ㄴ -> 파란)
If ' circle grammar' comes after these words. ' ㅎ ' will be deleted
and changed. ' 아/어 -> ㅐ , 야 -> 얘 '
(파랗다 -> 파랗 + 아요/어요 -> 파래요)
(Let's memorize it like vocabulary.)

Regular - 놓다, 넣다, 좋다, 낳다(아기를 낳다)
(정말 좋은 날씨네요)

	(-아요/어요)	(-아서/어서)	(-(으)니까)	(-(으)ㄴ)
파랗다 -> 파래요		파래서	파라니까	파란
노랗다 -> 노래요		노래서	노라니까	노란
빨갛다 -> 빨개요		빨개서	빨가니까	빨간
까맣다 -> 까매요		까매서	까마니까	까만
하얗다 -> 하얘요		하얘서	하야니까	하얀
이렇다 -> 이래요		이래서	이러니까	이런
그렇다 -> 그래요		그래서	그러니까	그런
저렇다 -> 저래요		저래서	저러니까	저런

예문 (Example sentence)

원숭이 엉덩이가 **빨개요**.
하얀 티셔츠에 청바지를 입었어요.

A: 어때요, 파란 하늘이 예쁘죠?

B: 네, 하늘이 파래요. 그래서 정말 좋아요.

A: 파래서 뭐가 좋아요?

B: 뭔가 마음이 편안해져요.

A: 그렇죠? 파란 하늘은 마음의 평화를 상징하기도 하니까요.

B: 아, 그런가요?

A: 네. 저도 파란 하늘을 볼 때마다 마음이 편안해지는 것 같아요.

B: 그렇군요. 파란 하늘이 영원히 파랬으면 좋겠어요.

A: 그래요, 우리 함께 파란 하늘을 지켜요.

누구나, 언제나, 어디나, 무엇이나, 무슨 N (이)나

Every, any

(This grammar is used with these words.)

무엇(what), 무슨(what)+N

Noun , pronoun

(받침 O) 음식-> **무슨** 음식+**이나**

(받침 X) 커피-> **무슨** 커피+**나**

*하고,에서,에게 etc. -> 누구하고**나**, 어디에서**나**, 누구에게**나** (positive)

누구하고**도**, 어디에서**도**, 누구에게**도** (negative)

예문 (Example sentence)

한국 음식은 **무엇이나** 다 맛있어요.

누구나 한국어를 공부할 수 있어요.

무슨 영화**나** 다 보고 싶어요.

A: 오늘 날씨가 참 좋네요.

B: 네, 언제나 이렇게 날씨가 좋으면 좋겠어요.

A: 누구나 그렇게 생각할 거예요.

B: 그렇죠? 어디에서나 이렇게 날씨가 좋다면 얼마나 좋을까요?

A: 저는 무슨 음식이나 먹고 싶을 것 같아요.

B: 저도요. 무엇이나 먹어도 맛있을 것 같아요.

A: 하하, 그럼 같이 간식이나 먹으러 가요.

B: 좋아요. 뭐 먹을까요?

A: 무슨 음식이나 다 좋아요.

아무 N 도

It's nothing.
(It is followed by a negative sentence. (안~, 못~, 없다 etc.)

Noun – **아무 noun 도** (사람, 장소, 물건 etc.)

Person – **아무도** – 아무(nobody)
Things – **아무것도** – 것(things)
Place – **아무 데도** – 데(place)

*하고,에게 -> 아무하고**도**, 아무에게**도** (negative)
아무하고**나**, 아무에게**나** (negative, positive)

예문 (Example sentence)

주말에 **아무** 데**도** 안 갔어요.
주말에 **아무** 데**도** 안 가고 한국어 공부했어요.
아무도 못 봤어요.

A: 오늘은 아무 일도 없으면 좋겠어요.

B: 아무 일도 없다는 뜻은요?

A: 아무도 오지 않고, 아무 것도 하지 않는 거예요.

B: 그럼, 아무 말도 하지 않는 것도 포함인가요?

A: 네, 맞아요. 아무 말도 하지 않는 날이면 정말 좋을 것 같아요.

B: 저도요. 아무것도 하지 않고, 아무 말도 하지 않고,

아무 일도 없이, 그냥 아무 것도 없는 날이면 좋겠어요.

A: 그날이 언젠가 오겠지요.

B: 그날이 오면, 정말 행복할 것 같아요.

아무리 A/V 아도/어도

This grammar emphasizes the preceding sentence.

Verb

(받침 O) 먹다 -> 먹어+요 -> **아무리**+먹어+**도**
(받침 X) 마시다 -> 마셔+요 -> **아무리**+마셔+**도**

Adjective

(받침 O) 좋다 -> 좋아+요 -> **아무리**+좋아+**도**
(받침 X) 바쁘다 -> 바빠+요 -> **아무리**+바빠+**도**

예문 (Example sentence)

아무리 먹어**도** 살이 안 쪄요.
아무리 안 먹어**도** 살이 쪄요.
저는 날씨가 **아무리** 안 좋아**도** 운동을 해요.

A: 오늘 시험 결과가 어땠어요?

B: 시험을 잘 못 봤어요. 아무리 공부를 열심히 해도 점수가
잘 안 나와요.

A: 아무리 공부를 열심히 해도 완벽한 점수는 얻을 수 없어요.
하지만 노력하는 과정이 더 중요해요.

B: 그래도 좀 속상해요.

A: 속상한 마음은 이해해요. 하지만 포기하지 않고
계속 노력하다 보면 점점 더 나아질 거예요.

B: 선생님 말씀 듣고 힘이 나요.
앞으로도 열심히 노력하겠습니다.

A: 그래요, 잘했어요.

무엇이든(지), 무슨 N(이)든(지)

It doesn't matter what it is. (pronoun)

(This grammar is used to say something to choose from.)

Noun (things)

(받침 O) 무슨 책 -> **무슨** 책 + **이든지**

(받침 X) 무슨 영화 -> **무슨** 영화 + **든지**

예문 (Example sentence)

무엇이든지 물어보세요.

무엇이든지 자신있습니다.

무슨 일**이든지** 자신있습니다.

무슨 책**이든지** 다양하게 읽었어요.

***어떤N(이)든지, 어느N(이)든지 - It has a similar meaning but less than '무슨' in scope.)

***무엇(이)든지(Whatever), 언제+든지(Whenever),

어디+든지/어디에서+든지(Wherever), 누구+든지/누구하고+든지(Whoever),

얼마+든지(as much as one wants)

A: 이번 주말에 뭐 하고 놀까요?

B: 뭐든지 할 수 있어요. 어디든지 갈 수 있어요.

A: 진짜요? 무슨 일이 있어요?

B: 한 달 동안 휴가예요.

A: 그럼 영화나 보러 갈까요?

B: 좋아요. 무슨 영화든 상관 없어요.

A: 그럼 액션 영화 어때요?

B: 액션 영화요? 괜찮아요.

A: 그럼 예매할까요?

B: 좋아요. 그럼 조금 이따가 연락할게요.

A/V 든(지) A/V 든(지),
N(이)든(지) N(이)든(지)

It doesn't matter what it is. (Adjective, Verb, Noun)
(This grammar is used to say the opposite choice.)

Verb

(받침 O) 먹다 -> 먹+**든지** 마시+**든지**
(받침 X) 마시다 -> 마시+**든지** 안 마시+**든지**

Adjective

(받침 O) 좋다 -> 좋+**든(지)** 나쁘+**든(지)**
(받침 X) 바쁘다 -> 바쁘+**든(지)** 안 바쁘+**든(지)**

Noun

(받침 O) 수영 -> 수영이**든(지)** 농구**든(지)**
(받침 X) 농구 -> 농구**든(지)** 수영이**든(지)**

예문 (Example sentence)

바쁘**든지** 안 바쁘**든지** 식사를 꼭 챙겨 드세요.
수민이는 수영**이든지** 농구 **든지** 다 잘해요.

A: 오랜만이에요. 만나서 반가워요.

B: 저도 정말 반가워요. 요즘 어떻게 지내세요?

A: 잘 지내고 있어요.

회사 일이 좀 바빠서 힘들긴 하지만 그래도 재미있어요.

B: 그래요. 그래도 일만 하고 지내지 마세요.

가끔씩은 쉬면서 뭘 먹든지 마시든지 해요.

A: 맞아요. 다음 주에 같이 밥이나 먹으러 갈까요?

B: 좋아요. 그럼, 삼계탕이든지 커피든지,

은아씨가 좋아하는 걸로 해요.

A: 그럼 삼계탕이랑 커피 둘 다 먹기로 해요.

B: 알았어요. 그럼 다음 주에 만나요.

A 다고 들었다, V ㄴ 다고/는다고 들었다, N(이)라고 들었다

This grammar is used to tell what you have heard from others.

Verb

(받침 O) 먹다 -> 먹+**는다고 들었다**
(받침 X) 마시다 -> 마시+**ㄴ 다고 들었다** -> 마신**다고 들었다**

Adjective

(받침 O) 좋다 -> 좋+**다고 들었다**
(받침 X) 바쁘다 -> 바쁘+**다고 들었다**

Noun

(받침 O) 책 -> 책+**이라고 들었다**
(받침 X) 커피 -> 커피+**라고 들었다**

예문 (Example sentence)

어제 밥을 안 먹었**다고 들었어요.** - the past tense
매일 아침 샐러드를 먹**는다고 들었어요.** - the present tense
내일은 삼겹살을 먹을 거**라고 들었어요.** - the future tense

A: 오랜만이에요. 잘 지냈어요?

B: 네, 잘 지냈어요. 수리씨는요?

A: 저도 잘 지냈어요. 그런데 바쁘다고 들었어요.

B: 네, 좀 바빴어요. 새로운 프로젝트를 맡아서요.

A: 그래요? 잘 되고 있어요?

B: 네, 잘 되고 있어요. 아직은 힘들지만, 그래도 재미있어요.

A: 그럼 다행이에요.

A 다고 하다, V ㄴ 다고/는다고 하다, N (이)라고 하다

**This grammar is used to tell what you have heard from others.
(This includes what we have heard through the media.)**

Verb

(받침 O) 먹다 -> 먹+**는다고 하다**
(받침 X) 마시다 -> 마시+**ㄴ 다고 하다** -> 마신**다고 하다**

Adjective

(받침 O) 좋다 -> 좋+**다고 하다**
(받침 X) 바쁘다 -> 바쁘+**다고 하다**

Noun

(받침 O) 책 -> 책+**이라고 하다**
(받침 X) 커피 -> 커피+**라고 하다**

예문 (Example sentence)

책**이라고 했어요** (책+이에요)
책**이었다고 했어요**. (책+이었어요)
커피**였다고 했어요**. (커피+였어요)
어제 밥을 안 먹**었다고 했어요**. - the past tense
매일 아침 샐러드를 먹**는다고 했어요**. - the present tense
내일은 삼겹살을 먹**을 거라고 했어요**. - the future tense
내일은 삼겹살을 먹**겠다고 했어요** - the future tense (-겠, future, will)

A: 어제 뉴스에서 봤는데, 내일 비가 온다고 해요.

B: 그래요? 그럼 우산 챙겨야겠어요.

A: 네, 그리고 오늘 저녁에 친구들이랑 모임이 있는데,
삼겹살을 먹을 거라고 했어요.

B: 그래요? 어제도 삼겹살을 먹었다고 하지 않았어요?

A: 네, 맞아요. 그런데 친구가 삼겹살 집을 개업했다고 해요.

B: 네, 맛있게 드세요.

A 대(요), V ㄴ 대/는대(요), N(이)래(요)

It's short for 'A 다고 하다, V ㄴ 다고/는다고 하다, N (이)라고 하다'

Verb

(받침 O) 먹다 -> 먹+는다고 하다 -> 먹+**는대요** -> 먹**는대요**
(받침 X) 마시다 -> 마시+ㄴ 다고 하다 -> 마시+ㄴ **대요** -> 마신**대요**

Adjective

(받침 O) 좋다 -> 좋+다고 하다 -> 좋+**대요**
(받침 X) 바쁘다 -> 바쁘+다고 하다 -> 바쁘+**대요**

Noun

(받침 O) 책 -> 책+이라고 하다 -> 책+**이래요**
(받침 X) 커피 -> 커피+라고 하다 -> 커피+**래요**

예문 (Example sentence)

책이라고 했어요 -> 책**이래요**.
강아지가 정말 귀엽다고 했어요. -> 강아지가 정말 귀엽**대요**.

A: 내일 날씨가 참 좋대요.

B: 네, 맞아요. 정말 푸르고 하늘도 깨끗하대요.

A: 봄이 왔나 봐요.

B: 네, 정말 봄이 왔네요.

A: 그리고 어제부터 꽃이 피기 시작했대요.

B: 그래요?

A: 며칠만 있으면 꽃이 활짝 필 거예요.

B: 너무 예쁘겠어요.

A 다고(요), V ㄴ 다고/는다고(요), N(이)라고(요)

This grammar is used to ask or speak again after listening to others. (Use it when you can't hear well or when you hear amazing stories.)

Verb
(받침 O) 먹다 -> 먹+**는다고(요)**
(받침 X) 마시다 -> 마시+**ㄴ 다고(요)** -> 마신**다고요**

Adjective
(받침 O) 좋다 -> 좋+**다고(요)**
(받침 X) 바쁘다 -> 바쁘+**다고(요)**

Noun
(받침 O) 책 -> 책+**이라고(요)**
(받침 X) 커피 -> 커피+**라고(요)**

예문 (Example sentence)
Juju korean이 베스트 셀러라고 해요. - Juju korean이 베스트 셀러**라고요?**
이 책이 정말 재미있어요 – 네? 이 책이 아주 재미있**다고요?**
삼계탕을 2그릇이나 먹었어요. - 네? 2그릇이나 먹었**다고요?**
내일은 한우를 20인분 먹을 거예요. - 네? 20인분을 먹을 거**라고요?**
7시예요. - 네? 몇 시**라고요?**
회의 날짜가 1월 1일 이에요. - 네? 언제라고요? - 1월 1일**이라고요.**
지금 미국에 있어요. - 어디**라고요?** - 미국**이라고요.**

A: 요즘 [JUJU KOREAN]이라는 책이 인기래요.

B: 네? 그 책이 베스트셀러라고요? 훌륭하다고요?

A: 네. 평점이랑 리뷰도 좋대요.

B: 평점이랑 리뷰도 좋다고요?

B: 그럼 저도 한 번 읽어봐야겠어요.

A: 그래요. 한국어가 재미있을 거예요.

B: 알았어요. 다음에 같이 읽어요.

A: 그래요.

A 다면서요?, V ㄴ/는다면서(요)?

This grammar is used to check again after listening to others.

Verb

(받침 O) 먹다 -> 먹+**는다면서(요)?**
(받침 X) 마시다 -> 마시+**ㄴ 다면서요? -> 마신다면서요?**

Adjective

(받침 O) 좋다 -> 좋+**다면서요?**
(받침 X) 바쁘다 -> 바쁘+**다면서요?**

예문 (Example sentence)

(저는 매일 건강 주스를 마셔요.) 매일 건강 주스를 마신**다면서요?**
(운동을 열심히 했어요.) 운동을 열심히 했**다면서요?**
(한국으로 유학을 갈 거예요.) 한국으로 유학을 갈 **거라면서요?**
(한국어 책이에요.) 한국어 책**이라면서요?**

A: 아리씨, 오늘 시험 잘 봤다면서요?

B: 네, 90점 나왔어요.

A: 오, 대단해요! 어떻게 공부했어요?

B: 그냥 평소처럼 열심히 했어요.

A: 민수씨도 이번 시험 잘 봤다면서요?

B: 네, 잘 봤어요.

A: 그럼 우리 세 명 다 합격하겠네요?

B: 그럴 것 같아요.

A 다는 N, V ㄴ/ 는다는 N

This grammar is used to speak again after listening to others or seeing them.

Verb

(받침 O) 먹다 -> 먹+**는다는** N
(받침 X) 마시다 -> 마시+**ㄴ 다는** N

*past – 먹다 -> 먹었+다 -> 먹었+다면서요?

Adjective

(받침 O) 좋다 -> 좋+**다는** N
(받침 X) 바쁘다 -> 바쁘+**다는** N

*past – 좋다 -> 좋았+다 -> 좋았+다면서요?

예문 (Example sentence)

부산은 참 아름답**다는** 생각이 들어요.
삼계탕이 맛있**다는** 식당이 여기예요?
선생님이 결혼하셨**다는** 소식을 작년에 들었어요.
행복하**다는** 말을 하더라고요.
더 건강해 졌**다는** 이야기를 들었어요.
'Hello?'는 한국어로 '안녕하세요'**라는** 뜻이에요.

A: 영화를 좋아한다는 말을 들었어요.

B: 네, 좋아해요. 오늘 저녁에 영화 볼까요?

A: 네, 좋죠. 어떤 영화 볼까요?

B: 요즘, 재미있다는 영화가 있던데요?

A: 어떤 영화요?

B: [한국어가 재미있어요]라는 영화인데, 평점이 좋아요.

A: 네, 재미있겠네요.

B: 그럼 그거 보러 갈까요?

A: 네, 좋아요.

B: 그럼 예매할게요.

A: 알겠습니다.

A (으)ㄴ 듯하다, V 는 듯하다

This grammar is used for guessing.

(a writing style)

Verb

(받침 O) 먹다 -> 먹+**는 듯하다**

(받침 X) 가다 -> 가+**는 듯하다**

Adjective

(받침 O) 좋다 -> 좋+**은 듯하다**

(받침 X) 바쁘다 -> 바쁘+**ㄴ 듯하다** -> 바쁜 **듯하다**

예문 (Example sentence)

주말이라서 식당에 손님이 많**을 듯 하다.**

좋은 피부를 위해 물을 자주 마시는 것이 중요**한 듯합니다.**

A: 사장님, 안녕하세요.

B: 안녕하세요. 오랜만이시네요.

A; 네, 오랜만에 왔어요. 손님이 많은 듯 해요.

B: 네, 주말이라서 손님이 많이 오신 듯 해요.

A: 사장님 음식 솜씨가 좋아서 인기가 많은 듯 해요.

B: 감사합니다. 자주 오세요.

A 다더니, V ㄴ/는다더니

This grammar is used to speak my mind by reminding others after listening to them.

Verb

(받침 O) 먹다 -> 먹+**는다더니**
(받침 X) 가다 -> 가+**ㄴ다더니** / **간다더니**
* it's similar 먹+**는다고하더니**/**간다고하더니**

Adjective

(받침 O) 좋다 -> 좋+**다더니**
(받침 X) 예쁘다 -> 예쁘+**다더니**
* It's similar 좋**다고하더니**/예쁘**다고하더니**

예문 (Example sentence)

학생이 아프**다더니** 롯데월드에 갔다.
일기예보에서 비가 온**다더니** 날씨가 좋네요.
이 향수의 향기가 좋**다더니** 정말 좋아요.

A: 오늘은 날씨가 너무 더운 것 같아요.

B: 맞아요. 일기예보에서 비가 온다더니, 비는커녕 너무 더워요.

A: 그래도, 날씨가 맑으니까 밖에 나가서 좀 걷고 싶어요.

B: 그럼, 나가서 좀 걸을까요?

잠깐 산책하고 오면 시원해질지도 몰라요.

A: 그래요, 그럼 빨리 가요.

B: 알았어요.

제 11 과

V (으)라고 하다

This grammar is used to convey speech to others.

Admonition

a word of request

Verb

(받침 O) 입다 -> 입+**으라고 하다**

(받침 X) 주다 -> 주+**라고 하다**

예문 (Example sentence)

(책을 읽으세요.) 책을 많이 읽**으라고 했어요.**

(책을 읽지 마세요.)책을 많이 읽**지 말라고 했어요.** (V 지 말라고 하다.)

(A: ~하세요.(하다(do) -do it.) A: ~하라고 했어요(하(do)+라고 하다)

A: 한국어 책을 주세요. give it to me.

B가 C에게 말해요.: (A가 나에게) 한국어 책을 달라고 했어요. (give it from me.)

A: 한국어 책을 주세요. Give it to someone. /do it

B가 C에게 말해요.: (A가 나에게) 라라(D)에게 한국어 책을 주라고 했어요. (do it.)

(A: 1.~주세요.(주(give)다 - give it to me)

B: ~달라고 했어요(달(give)+라고 하다 - someone asked me to give it from me)

A: 2 ~주세요(give it to someone)

A: 책 읽고 있어요?

B: 네, 선생님이 책 많이 읽으라고 했어요.

A: 그랬어요?

B: 그리고 운동도 열심히 하라고 했어요.

A: 그래요? 그럼 같이 운동하러 나갈까요?

B: 네, 좋아요.

A(으)냐고 하다[묻다], V느냐고 하다[묻다], N(이)냐고 하다[묻다]

This grammar is used to convey speech to others.
a word that asks a question

Verb
(받침 O) 먹다 -> 먹+**(느)냐고 하다[묻다]**
(받침 X) 마시다 -> 마시+**(느)냐고 하다[묻다]**
*(past)먹다 -> 먹었+다 -> 먹었+**냐고 하다[묻다]**
(future)먹다 -> 먹을 거+다 -> 먹을 거+**냐고 하다[묻다]**
        ->먹겠+다 -> 먹겠+**냐고 하다[묻다]**

Adjective
(받침 O) 좋다 -> 좋+**(으)냐고 하다[묻다]**
(받침 X) 바쁘다 -> 바쁘+**냐고 하다[묻다]**
*(past)바쁘다 -> 바빴+다 -> 바빴+**냐고 하다[묻다]**
(future)바쁘다 -> 바쁠 거+다 -> 바쁠 거+**냐고 하다[묻다]**
        -> 바쁘겠+다 -> 바쁘겠+**냐고 하다[묻다]**

Noun
(받침 O) 책 -> 책+**이냐고 하다[묻다]**
(받침 X) 커피 -> 커피+**냐고 하다[묻다]**
*(past)책이다 -> 책이었+다 -> 책이었+**냐고 하다[묻다]**
커피다 -> 커피였+다 -> 커피였+**나고 하다[묻다]**

예문 (Example sentence)

(여러분, 숙제했어요?) 선생님이 숙제 했**(느)냐고** 물어보셨어요.
(생일이 언제예요?) 생일이 언제**냐고** 했어요.
                생일이 언제**냐고** 하면서 선물을 주셨어요.

A: 오늘 회의 끝나고 회식하죠?

B: 네, 뭐 먹을까요? 닭갈비 어때요?

A: 저도 닭갈비 좋아해요. 지안씨도 닭갈비 잘 먹는다고 했어요.

B: 좋아요. 민국씨 한테도 닭갈비 먹느냐고 물어볼까요?

A: 네, 막걸리도 마시느냐고 물어보세요.

B; 네, 좋아요.

V 자고 하다

This grammar is used to convey speech to others.
when someone say, "Let's do this."

Verb

(받침 O) 먹다 -> 먹+**자고 하다**
(받침 X) 마시다 -> 마시+**자고 하다**

예문 (Example sentence)

(오늘 저녁에 한우 먹자.) 친구가 오늘 저녁에 한우 먹**자고 했어요.**
(책을 한 달에 4권씩 읽자.) 선생님이 책을 한 달에 4권씩 읽**자고 했어요.**

A: 친구가 오늘 공원 가서 산책하자고 했어요.

B: 그래서 같이 산책가기로 했어요?

A: 네, 제가 1시에 만나자고 했어요.

B: 좋겠어요. 오늘 날씨가 정말 좋네요.

A: 네, 다녀올게요.

B: 네, 잘 다녀오세요.

제 12 과

A/V 거든(요), N(이)거든(요)

This grammar is used to inform others of information they don't know.
Speaking, Informal.

Verb

(받침 O) 먹다 -> 먹+**거든(요)**
(받침 X) 마시다 -> 마시+**거든(요)**

Adjective

(받침 O) 좋다 -> 좋+**거든(요)**
(받침 X) 바쁘다 -> 바쁘+**거든(요)**

Noun

(받침 O) 삼계탕 -> 삼계탕+**이거든(요)**
(받침 X) 한우 -> 한우+**거든(요)**

예문 (Example sentence)

왜 물을 많이 마셔요? – 피부에 좋**거든요.**
내일 시험**이거든요.** 그래서 공부해야 돼요.

A: 시험에 합격했다면서요?

B: 네, 정말 열심히 공부했어요.

A: 그럼 이제 한국에 갈 거예요?

B: 네, 제 꿈이 한국어 선생님이거든요.

B: 와, 멋있어요.

A: 어제 비행기 표를 예매했거든요. 내일 한국으로 가요.

B: 정말요? 이렇게 빨리요?

B: 네, 한국에 가서 더 큰 목표를 이룰 거거든요.

A: 모두 잘 될 거예요.

B: 고마워요. 한국에 가서 초대할게요.

A/V 던데(요), N 이던데(요)

This grammar is used to talk about what you have experienced. (Expecting a reaction.) informal.

Verb

(받침 O) 먹다 -> 먹+**던데요**
(받침 X) 마시다 -> 마시+**던데요**

Adjective

(받침 O) 좋다 -> 좋+**던데요**
(받침 X) 바쁘다 -> 바쁘+**던데요**

Noun

(받침 O) 책 -> 책+**이던데요**
(받침 X) 버블티 -> 버블티+**던데요**

예문 (Example sentence)

식혜가 정말 맛있**던데요.**
한국 음식점에 손님이 많**던데요.**

A: 지난 주에 영화 보러 갔는데, 정말 재미있던데요.

B: 어떤 영화였는데요.

A: 액션 영화였어요. 주인공이 악당을 물리치는 이야기던데요.

B: 볼만했겠네요. 저는 로맨스 영화를 좋아해서요.

A: 내일 로맨스 영화도 개봉한다고 하던데요?

B: 그래요? 그럼 다음 주에 같이 영화 보러 갈까요?

A: 좋아요. 다음주에 만나요.

A (으)ㄴ 데도, V 는데도, N인데도

This grammar is used when something unexpected happens in relation to facts.
(it is fact + 인데도+ unexpected fact.)

Verb
(받침 O) 먹다 -> 먹+**는데도**
(받침 X) 마시다 -> 마시+**는데도**
*past – 먹다 -> 먹었+**다** -> 먹었+**는데도**

Adjective
(받침 O) 좋다 -> 좋+**은데도**
(받침 X) 바쁘다 -> 바쁘+ㄴ 데도 -> 바쁜**데도**
*past – 좋다 -> 좋았+**다** -> 좋았+**는데도**

Noun
(받침 O) 책 -> 책+**인데도**
(받침 X) 영화 -> 영화+**인데도**
*past – 책이다 -> 책이었+**다** -> 책이었+**는데도**

예문 (Example sentence)

많이 먹**는데도** 살이 안 쪄요.
커피를 많이 마시**는데도** 졸려요.

**

(자다(to sleep), 잠들다(fall asleep), 졸다(doze off), 졸리다(sleepy))

A: 요즘 날씨가 정말 좋아요.

B: 맞아요, 벌써 봄이에요.

A: 그런데 봄인데도 아직 꽃은 안 피었어요.

B: 그렇긴 해요. 봄은 왔는데도 봄 같지 않은 느낌이에요.

A: 그래도 나무들은 초록색으로 물들어서 예쁘네요.

B: 맞아요. 나무들도 봄을 준비하고 있는 것 같아요.

A: 그래요, 곧 봄꽃들이 만개할 거예요. 그때까지 기다려 봐요.

B: 그래요, 그때까지 봄을 만끽해요.

V 았더니/었더니

This grammar is used to tell the result after doing something.
Past.

Verb

(ㅏ,ㅗ) 가다 -> 갔+다 -> 갔+**더니**
(ㅓ,ㅜ,ㅣ …) 먹다 -> 먹었+다 -> 먹었+**더니**
(하다) 공부하다 -> 공부했+다 -> 공부했+**더니**

예문 (Example sentence)

열심히 공부했**더니** 시험에 합격했어요.
삼계탕을 많이 먹었**더니** 건강해졌어요.
친구에게 생일 선물을 줬**더니** (친구가) 너무 좋아했어요.

A: 어제 면접 잘 봤어요?

B: 네, 저 면접에서 합격했어요!

A: 축하해요! 열심히 준비하더니 잘됐네요.

B: 네, 열심히 준비했더니 합격하게 되었어요.

A: 우와, 진짜요?

B: 네, 한국어만 사용해야 해서 조금 떨렸어요.

A: 한국어만요? 정말 떨렸겠어요. 한국어 공부도 많이 했지요?

B: 네, 매일 한국어 말하기 연습을 했더니 발음도 좋아졌어요.

A: 정말요? 그럼 회사에서 일할 때도 걱정 없겠어요.

B: 아직, 더 연습해야 돼요. 한국 사람처럼 말하고 싶어요.

A: 잘 할 수 있을 거예요.

A/V 더니

This grammar is used to say a change after observing something. Past.

Verb

(받침 O) 먹다 -> 먹+**더니**
(받침 X) 마시다 -> 마시+**더니**

Adjective

(받침 O) 좋다 -> 좋+**더니**
(받침 X) 바쁘다 -> 바쁘+**더니**

예문 (Example sentence)

어제는 날씨가 좋**더니** 오늘은 (날씨가) 나빠요.
친구가 매일 라면을 먹고 자**더니** 얼굴이 부었어요.

A: 창 밖을 봐요. 오늘은 햇살이 따뜻하고 바람이 시원하네요.

B: 네, 어제는 비가 오더니 오늘은 날씨가 정말 좋네요.

A: 저기 저 아이들을 보세요.

한참 뛰더니 아이스크림을 사러 편의점에 가네요.

B: 정말 귀엽네요. 우리도 아이스크림을 먹을까요?

제 13 과

A/V 지 않으면 안 되다

This grammar is used to say that you must do it.

use for emphasis. (먹지 않으면 안 돼요. = 안 먹으면 안 돼요. = 먹어야 해요.)

Verb

(받침 O) 먹다 -> 먹+**지 않으면 안 되다**

(받침 X) 가다 -> 가+**지 않으면 안 되다**

Adjective

(받침 O) 작다 -> 작+**지 않으면 안 되다**

(받침 X) 크다 -> 크+**지 않으면 안 되다**

예문 (Example sentence)

극장에서 핸드폰을 무음으로 하**지 않으면 안 돼요.**

선생님, 숙제 안 하면 안 돼요? – 네, 숙제를 하**지 않으면 안 됩니다.**

A: 시험 준비는 어떻게 하고 있어요?

B: 아직 시작도 못 했어요. 너무 하기 싫어요.

A: 그래도 공부하지 않으면 안 돼요.

졸업하려면 시험을 봐야 하잖아요.

B: 그럼 어쩔 수 없죠. 뭐.

A: 졸업하지 않으면 안 돼요.

B: 알았어요. 하기 싫지만 해야지요.

N 만 하다

This grammar is used to tell **the size**.
Like this.

Noun

(받침 O) 사람 -> 사람+**만 하다**
(받침 X) 사과 -> 사과+**만 하다**

예문 (Example sentence)

돌고래가 엄청 커요. 사람만 해요.
얼굴이 작아서 사과만 해요.

A: 주말에 낚시를 했어요.

B: 정말요? 재미있었겠어요.

A: 물고기를 잡았는데 크기가 엄청 컸어요.

B: 그래요?

A: 네, 물고기가 사람만 했어요.

B: 네? 사람만 해요? 설마요.

A: 정말이에요. 사람만 했어요.

V (으)ㄹ 만 하다

This grammar is used to speak of value.

It's worth ~.

Verb

(받침 O) 먹다 -> 먹+**을 만하다**

(받침 X) 가다 -> 가+**ㄹ 만하다** -> 갈 **만하다 (가다)**

예문 (Example sentence)

이 음식이 정말 훌륭해요. 정말 먹**을 만해요.**

먹**을 만한** 음식은 다 먹었어요.

한강은 아름다워요. 한번 가 볼 **만해요.** (가 보다)

A: 이번 휴가에는 어디에 갈 거예요?

B: 제주도에 가보려고 해요.

A: 아리씨 고향이 제주도라고 하셨죠?

갈 만한 곳을 추천해 주세요.

B: 네, 많아요. '섭지코지' 하고 '용머리 해안'이 아름다워요.

한라산도 가볼 만해요.

그리고 한라봉도 정말 먹을 만해요.

A: 고마워요.

======= 대화문 영어 해설 =======

1

A: Do you know where Cheonggyecheon is?

B: Cheonggyecheon? What is that?

A: Cheonggyecheon used to be a river. But we used Cheonggyecheon
   as a highway and now restored it to make it a walking path.

B: Oh, I see...

A: Do you know what that building is over there?

B: That is Seoul City Hall. City Hall
   Square, the center of Seoul, is right there.

A: City Hall Square? Do you know what they're doing there?

B: There are a lot of news broadcasts and cultural facilities like exhibitions.

A: Oh, you know Korea really well.

2

A: I don't know if I can do well on next week's test.

B: You will do well because you studied hard.

A: Yes, but I'm still worried. I don't know if I'll pass the exam.

B: You just need to remember what you studied.

A: Yes, I see. I'll prepare well and come out with good results.

3

A: How does this café's coffee taste?

B: I didn't know it would be delicious.like this.

A: Yes. It's really good. And, I didn't know this cafe sells coffee beans like this.

B: Me too. My friend recommended it to me yesterday, I didn't know it would be such a nice cafe.

A: I see. I want to come again next time.

4

A: Why do you look so happy today?

B: It's just... nothing.

A: Do you have any good news?

B: That's right. I got a job today. So I'll be a little busy.

A: Really? Congratulations!

B: Thank you.

A: Both of us are now office workers. I'll live a happier life in the future.

B: Yes, let's live well together.

5

A: Who is that man in the distance?

B: Maybe that's the boyfriend of the woman sitting on the bench over there.

A: Possibly, because she's constantly staring.

B: That's right. He's also looking at her.

A: So are they going on a date?

B: Yes, it would be a date. I want to go on a date, too.

6

A: It's the weekend, what are you going to do?

B: I'm not sure. I'm thinking of fishing.

A: That's a good idea.

B: I'm thinking of eating cup noodles while fishing, do you want to come with me?

A: Good. I was thinking of going fishing too, that's great.

B: What are you going to do after fishing?

A: I'm thinking of going to a fish restaurant.

7

A: What are you doing now?

B: I'm cooking for dinner tonight.

B: Is it bulgogi?

C: Yes, are you eating too much?

A: It's okay. I'll eat everything, so don't worry.

A: Thank you. I'll make it delicious, so please eat a lot.

C: Yes, Dae-han and Min-guk will be here too. I'll prepare the dessert.

A: Yes. Thank you.

8

A: I wish the weather was nice today. It's suddenly raining.

B: Right. If it doesn't rain, we'll go for a walk. That's too bad.

A: Then shall we watch a movie at the theater?

B: All right.

A: It's going to rain more, so let's take a big umbrella.

B: Okay. I'll get an umbrella.

9

A: Man-se, what time is the meeting?

B: It's 2 p.m. today.

A: Then we'll have to prepare the meeting materials.

B: Our team is preparing it.

A: Good. This meeting is about the launch of the new product,
   We should prepare for the main functions and characteristics of the
   new product. Do you have enough time?

B: Yes, that's fine. Then, should I prepare the meeting materials with PPT?

A: Yes, that's right. Please prepare the PPT and send it to me before the
   meeting.

B: Okay. I'll prepare the meeting materials and send them to you.

10

B: Since the weather is nice, it's nice to take a walk in the park.

A: That's right. I also wanted to come out to the park and get refreshed.

B: Then since we're at the park, let's exercise.

A: Okay. It's been a while since we've been here, let's exercise,
   eat delicious food, and have fun.

A: Yes, it's better to come out together.

B: Yes, let's have fun all day today.

11

A: Shall we take a picture in front of the cherry blossoms?

B: Good. How about here?

A: Let's take a picture standing in front of the tree on the right.

B: I see.

A: Oh, it's so pretty. Shall we take a picture and eat seafood pajeon
   At Insa-dong?

B: Sounds good. Let's eat seafood pajeon and drink traditional tea
   At a traditional tea place.

12

A: Why did you come so late today?

B: I'm sorry. I was late because of an unexpected meeting in the morning.

A: Really? Why did you suddenly have a meeting?

B: It's because of the new project.

A: What kind of project is it?

B: We had a meeting regarding the launch of the new product.

A: Oh, that's amazing. Then I think you'll be busy with this project?

B: Yes, that's right. So I think I'll leave work late tomorrow as well.

A: But cheer up!

B: Thank you.

13

A: The weather is nice because it's spring. What are you going to do this weekend?

B: I'm not sure yet. I want to go to the mountain because the weather is nice, but I don't think I can because I have a lot of work to do.

A: Is there a reason why you want to go to the mountain?

B: It feels good to see the green trees while breathing in the fresh air.

A: I see. I'd like to go to the mountains, but I'd like to go with 아리씨 (you)

B: Really? Sounds good. Then let's go together next weekend. I'm free because I'm on vacation from next week.

A: Sounds good. See you next weekend.

B: Yes, that's right.

14

A: What books are you going to buy at the bookstore?

B: I'm going to buy a topic book because I have a topik test next month.

A: I'm taking a topik test too, but I don't know which book to buy.

B: When are you going to take the test?

A: I'm planning to watch it next year because I have a lot of work to do.

B: Then, shall we go to the bookstore together? I'll recommend you a good book.

A: Yes, that's a good idea.

B: Yes, see you later.

15

A: Why were you late for school today?

B: I was told to study Korean.

C: Are you studying Korean?

B: Yes, I'm really into Korean dramas these days, so studying Korean is more fun.

A: What kind of drama is it?

B: It's a drama called "그해 우리는".

C: Oh, I've heard of it.

B: It's fun. I'm sure you'll lose track of time while watching the drama

A: I should take a look, too.

B: Shall we watch it together after class?

16

A: What should we have for lunch today?

B: I'm not sure. Is there anything you want to eat?

A: I've been craving jajangmyeon since yesterday.

B: Just jajangmyeon? Don't you want to eat something else?

A: Yes, there was a scene where someone ate jajangmyeon in the drama yesterday, and since then, all I can think of is jajangmyeon.

B: Okay. Then let's go eat jajangmyeon.

17

A: Library librarian, can I borrow this book?

B: Yes, that's fine. However, you can only borrow this book for a week.

A: It's only for a week?

B: Yes, this book is a rare book, so you can only borrow it for a week.

A: Okay. Then, I'll borrow it.

B: Yes, thank you.

18

A: Teacher, what will be on the next test?

B: I'm not sure yet, but I'm sure of the grammar and words we studied
   Will definitely be on the test.

A: Then I'll just have to study everything.

B: That's right. I have no choice but to study.

A: But there are so many that I have no choice so to sleep less.

B: I know that, but you have to study.

A: Yes. I will study hard.

B: Yes, fighting!

19

A: What should we eat for lunch today?

B: Is there anything you want to eat?

A: Shall we eat jajangmyeon or gimbap at the restaurant in front of the school?

B: Black Bean Noodles or Gimbap? Both will be delicious

A: Then shall we go for coffee or tea after lunch?

B: Okay. Let's go.

20

A: Did you study a lot today?

B: Yes, I studied for 7 hours. I worked harder because I have an exam tomorrow.

A: Wow, 7 hours? That's amazing. I need to study more.

B: Yes, let's study hard.

A: Yes, good luck on your test tomorrow.

21

A: What time is the meeting?

B: The meeting is held every Friday at 10 o'clock.

A: Yes. Then is it 10 o'clock today?

B: Yes, that's right.

A: Thank you.

22

A: The house is very neat and tidy.

B: Yes, I got up early and cleaned up.

A: Early in the morning? You're so diligent.

B: No, it's better to just live in a clean house.

A: I think so too.

B: I cooked for you, would you like to join me?

A: I think it's going to be really good. Thank you.

B: Enjoy your meal.

A: Yes, thank you for the food.

23

A: What kind of tree is that standing in front of the bus stop?

A: It's a pine tree.

B: Why is the pine tree standing so upright?

A: Pine trees have deep roots and don't fall even when it's windy.

B: I think that's why the pine tree is a symbol of strength and will.

A: Yes, that's right. You should live a strong and dignified life like
   a pine tree.

24

A: Should we go out and eat something?

B: I want to go, but I don't have time to change my clothes.

A: You just go out with your clothes on.

B: It's cold outside, so is it okay to wear a short-sleeved shirt?

A: Then put a padded jacket on top of your short sleeve.

B: Yeah, okay.

25

A: Look at that bird over there! It's really fast.

A: Wow, birds can go anywhere if they fly that fast.

B: That's right. Birds are fast, so it's possible to go far to get food, right?

A: Yes, I wish I could fly that fast.

B: If we work hard, we'll be able to fly that fast someday. (fly -> meaning to achieve a dream))

26

A: Wow, the flowers are so pretty!

B: Yes, it's really pretty.

A: That red flower is especially prettier.

B: Yes, there's someone I want to give as a gift because the flowers are so pretty.

A: Who?

A: My girlfriend.

B: Oh, that would be great.

27

A: I heard you caught a cold. Are you feeling better these days?

B: Yes, it's gotten a lot better. I took medicine and rested, and my fever has gone down and my body aches are gone.

A: That's a relief. I was worried.

B: Thank you. I feel better now.

A: Then let's go exercise together.

B: Sounds good. We'll be healthier by working out together.

28

A: What do you think, isn't the blue sky pretty?

B: Yes, it's really nice because the sky is blue.

A: What do you like about blue?

B: It makes me feel comfortable.

A: Right? The blue sky also symbolizes peace of mind.

A: Oh, is that so?

A: Yes. I feel at ease whenever I see the blue sky.

B: I see. I hope the blue sky is blue forever.

A: Yes, let's protect the blue sky together. (That means protecting the global environment.)

29

A: The weather is so nice today.

B: Yes, I hope the weather is always this nice.

A: Everyone would think that.

B: Right? How nice would it be if the weather was this nice everywhere?

A: I think I'll want to eat everything.

B: Me too. I think anything will be delicious.

A: Haha, then let's go grab a snack together.

B: Sounds good. What would you like to eat?

A: Any food is good.

30

B: Yes, that's right. I hope nothing happens today.

A: What do you mean that nothing happens?

B: No one is coming, nothing is coming.

A: Then does that include not saying anything?

B: Yes, that's right. It would be great if you didn't say anything.

A: Me too. I hope it's a day where there's nothing to do, nothing to say, and nothing to do.

B: That kind of day will come someday.

A: I think I'll be really happy when such a day comes.

B: Me too.

31

A: How was the test result today?

B: I didn't do well on my test. No matter how hard I study,
   I can't get good grades.

A: No matter how hard you study, you won't get perfect grades.
   But the process of trying is more important.

A: But I'm still a little angry.

B: I understand how you feel. but if you keep trying and don't give up,
   it will get better and better.

A: Your words give me strength. I will keep working hard.

B: Yes, good job.

32

A: What should we do this weekend?

B: I can do anything. I can go anywhere.

A: Really? What happened?

B: I'm on vacation for a month.

A: Then should we go see a movie?

B: Sounds good. I don't mind any movie.

A: Then how about an action movie?

B: An action movie? It's okay.

A: Then do I have to make a reservation?

B: Sounds good. I'll call you later then.

33

A: Long time no see. nice to meet you.

B: Nice to meet you too. How are you doing these days?

A: I'm doing well. It's hard because I'm busy, but it's still fun.

B: Yes, but don't just work and rest and eat or drink anything sometimes.

A: That's right. Shall we go eat together next week?

B: Sounds good. Then let's go with what Euna likes,

    whether it's samgyetang or coffee.

A: Then let's have both samgyetang and coffee.

B: Okay. I'll see you next week.

34

A: Long time no see. How have you been?

B: Yes, I'm good. How about you, Suri?

A: I've been well, too. But I heard you're busy.

B: Yes, I was a little busy. I'm in charge of a new project.

A: Really? Is it going well?

B: Yes, it's going well. It's hard, but it's still fun.

A: That's a relief.

35

A: I saw it on the news yesterday, and it's going to rain tomorrow.

B: Really? Then I'll have to bring an umbrella.

A: Yes. And, I'm having a meeting with my friends this evening,
and they said they're going to eat pork belly.

B: Really? Didn't you say you had pork belly yesterday?

A: Yes, that's right. But my another friend opened a pork belly restaurant.

B: Sure, enjoy your meal.

36

A: I heard that the weather will be nice tomorrow.

B: Yes, that's right. It's really green and the sky is clean.

A: Spring must have come.

B: Yes, spring has really come.

A: And flowers started blooming yesterday.

B: Really?

A: flowers will be in full bloom in a few days.

B: It's going to be so pretty.

37

A: I heard that the book [JUJU KOREAN] is popular these days.

B: What? That book is a bestseller? It's great?

A: Yes. I heard that the ratings and reviews are good.

B: The ratings and reviews are good?

B: Then I'll have to read it too.

A: Sure. Korean will be fun.

B: Okay. Let's read it together next time.

A: I see.

38

A: Ari, I heard you did well on your test today?

B: Yes, I got 90 points. (Out of 100 points)

A: Oh, that's amazing! How did you study?

B: I just worked hard as usual.

A: Minsu, I heard you did well on this test, too?

B: Yes, I saw it well.

A: Then all three of us will pass, right?

B: I think so.

39

B: I heard you like movies.

A: Yes, yes. Shall we watch a movie tonight?

B: Yes, that would be great. Which movie should we watch?

A: Are there any interesting movies these days?

B: What movie?

A: It's a movie called [Korean is fun] and it has a good rating.

B: Yes, that sounds fun.

A: Then shall we go see that?

B: Yes, that sounds good.

A: Then I'll make a reservation.

B: I see.

40

A: Hello

B: Hello, Long time no see.

A: Yes, it's been a long time since I've been here. I think there are a lot of customers.

B: yes, I think a lot of customers came because it's the weekend.

A: I think you're popular because you're good at cooking.

B: thank you. Please come often.

41

A: I think the weather is too hot today.

B: That's right. The weather forecast says it's going to rain, but it's too hot, not to mention the rain.

A: But since it's sunny, I want to go outside and walk a little.

B: Then should we walk outside? It might feel cooler if we walk a little.

A: Okay, then let's hurry up and go.

B: I see.

42

A: Are you reading a book?

B: Yes, my teacher told me to read a lot of books.

A: Did you?

B: And he told me to exercise hard.

A: Really? Then do you want to go out for exercise together?

B: Yes, that's great.

43

A: We're having a company dinner after today's meeting, right?

B: Yes, what would you like? How about Dakgalbi?

A: I like spicy stir-fried chicken, too. Jian said she likes spicy stir-fried chicken.

B: Sounds good. Should I ask if Minguk is also eating dakgalbi?

A: Yes, please ask if you also drink makgeolli.

B: Yes that sounds good.

44

A: My friend asked me to go for a walk in the park today.

B: So you decided to go for a walk together?

A: Yes, I told you to meet at 1 o'clock.

B: Sounds good. The weather is really nice today.

A: Yes, I'll be back.

B: Yes, have a nice walk.

45

A: I heard you passed the test?

B: Yes, I studied really hard.

A: Then are you going to Korea now?

B: Yes, my dream is to be a Korean teacher.

B: Wow, that's cool.

A: I booked a plane ticket yesterday. I'm going to Korea tomorrow.

A: Really? Are you going this fast?

B: Yes, I'm trying to achieve a bigger goal when I go to Korea.

A: Everything will be fine.

B: Thank you. I'll invite you when I go to Korea.

46

A: I went to see a movie last week, and it was really fun.

B: What kind of movie was it?

A: It was an action movie. It's about the main character defeating the villain.

B: That must have been worth watching. I like romance movies.

A: I heard that a romance movie will be released tomorrow?

B: Really? Then should we go see a movie together next week?

B: Sounds good. See you next week.

47

A: The weather is really nice these days.

B: That's right, it's already spring.

A: But even though it's spring, the flowers haven't bloomed yet.

B: That's right. Spring is here, but it doesn't feel like spring.

A: But the trees are pretty because they are colored green.

B: That's right. I think the trees are preparing for spring, too.

A: Yes, the spring flowers will be in full bloom soon. Please wait until then.

B: Okay, let's enjoy the spring until then.

48

A: Did you have a good interview yesterday?

A: Yes, I passed the interview!

B: Congratulations! That's great because you worked hard on it.

A: Yes, I worked hard and got accepted.

B: Wow, really?

A: Yes, I was a little nervous because I had to use only Korean.

B: Only Korean? You must have been nervous. You studied Korean a lot, right?

A: Yes, I practiced speaking Korean every day and my pronunciation got better.

B: Really? Then if you work at a company you don't have to worry.

A: Not yet. I think I need to practice more. I want to speak like a Korean.

B: You'll be able to do well.

49

A: Look out the window. The sun is warm and the wind is cool today.

b: Yes, it rained yesterday and the weather is really nice today.

A: Look at those kids over there. They ran for a while and are going to the convenience store to buy ice cream.

B: That's so cute. Should we have ice cream, too?

50

A: How are you preparing for the test?

B: I haven't even started yet. I don't want to do it.

A: But you still have to study. You have to take an exam to graduate.

B: Then there's nothing we can do about it.

A: I have to graduate.

B: Okay. I don't want to do it, but I'll do it.

51

A: I went fishing on the weekend.

B: Really? It must have been fun.

A: I caught a fish and it was huge.

B: Is that so?

A: Yes, the fish is as big as a person.

B: What? It's as big as a person? No way.

A: I'm telling you. It's as big as a person.

52

A: Where are you going this vacation?

B: I'm going to Jeju Island.

A: Ari, you said your hometown is Jeju Island, right?

　Please recommend a place to visit.

B: Yes, there are a lot. 'Seopjikoji' and 'Yongmeori coast' are beautiful.

　'Halla Mountain' is also worth visiting, and Hallabong is really good to eat.

A: Thank you.

========= 부록 =========

=============== 관용어 ================

입이 무겁다 – 아는 이야기를 다른 사람에게 말하지 않는다.

눈이 높다 – 사람이나 물건을 볼 때 보통의 정도 이상을 원하다.

마음을 먹다 – 결심하다.

마음에 들다 – 좋아하다.

입에 맞다 – 음식이 (내 입맛에) 맛있다.

발이 넓다 – 아는 사람이 많다.

마음이 굴뚝같다 – 간절하게 원하다.

국수를 먹다 – 결혼하다.

어깨가 무겁다 – 마음에 부담이 클 정도로 많은 책임감을 느끼다.

손발이 맞다 – 함께 일을 할 때 마음, 생각, 행동 방식이 같다.

뜸을 들이다 – 일이나 말을 할 때 한동안 가만히 있다.

=============== 단어 ===============

- - 적 (그 성격을 띠거나 그 상태이다.)

적극적 – 태도가 활발하다.
소극적 – 태도가 비활동적이다.
긍정적 – 옳다, 그렇다, 바람직하다.
부정적 – 그렇지 않다, 바람직하지 못하다.
예술적 – 예술의 특성을 지니다.

- 과 - (정도가 지나치다.)

과식 – 음식을 많이 먹다.
과음 – 술을 많이 먹다.
과소비 – 소비를 많이 하다.

- - 스럽다 (그러한 성질이 있다.)

여성스럽다 – 여자의 성격을 가진 데가 있다.
남성스럽다 – 남성의 성격을 가진 데가 있다.
사랑스럽다 – 행동이나, 형태가 사랑을 느낄 만큼 귀엽다.
자랑스럽다 – 다른 사람에게 자랑할 만한 데가 있다.
걱정스럽다 – 걱정이 되어 마음이 편하지 않은 데가 있다.

- - 거리 (어떤 일이나 상황을 조금 낮추어서 말한다.)

볼거리 – 사람들이 구경할 만한 일.

걱정거리 – 걱정이 되는 일.

관심거리 – 관심을 끄는 일.

- - 별 (명사 뒤에서, 그 명사에 따른 분류.)

직업별 – 일의 종류에 따라서 분류.

지역별 – 지역에 따라서 분류.

분야별 – 분야에 따라서 분류.

나라별 – 나라에 따라서 분류.

- - 히 (꾸며주는 말, 형용사에서 변형되기도 한다.)

솔직히 – 숨김없이 정직하게.

당연히 – 일의 앞뒤 상황을 볼 때 마땅히 그러하게.

급히 – 매우 빠르게.

우연히 – 어떤 일이 뜻하지 않게.

- 력 (명사 뒤에서 '능력', '힘'을 나타낸다.)

상상력 – 실제로 경험하지 않은 현상을 마음으로 그리는 힘.
기억력 – 이전의 경험 등을 기억하는 힘.
이해력 – 상황 등을 해석하는 힘.
어휘력 – 단어를 사용하는 힘.

- 률 (비율을 말 한다.)

(률 [뉼] (앞 글자에 받침O) / - 율 [율] (앞 글자에 받침 X or ㄴ 받침))

확률 – 어떤 일이 일어날 가능성의 정도.
인상률 – 물건 값, 요금, 임금 등이 오른 비율.
경쟁률 – 경쟁의 비율.
비율 – 어떠한 수나 양이 그 곳에서 얼마 정도가 있는지 알아본다. (보통 비교
할 때 사용한다.)
환율 – 자기 나라 돈과 다른 나라 돈의 교환 비율. 외국환 시장에서 결정된다.

- 심 (일부 명사 뒤에서 '마음'의 뜻을 나타낸다.)

경쟁심 – 다른 사람과 겨루어서 이기거나 앞서려는 마음.
인내심 – 참고 견디는 마음.
애국심 – 자기 나라를 사랑하는 마음.
호기심 – 새롭고 신기한 것을 알고 싶어 하는 마음.

- 불 – (일부 명사 앞에서 '아니다'를 의미한다.)

  부 – (불+뒤에 오는 단어가 ㄷ, ㅈ 으로 시작할 때)

불가능 – 가능하지 않음.

불공평 – 공평하지 않음.

불규칙 – 규칙에서 벗어나 있음.

부정확 – 바르지 않거나 확실하지 않음.

네이버-표준국어대사전

우리편 6기의
추억저장소

우리편 6기 지음

우리편 6기의 추억저장소

발   행 | 2024년 05월 20일
저   자 | 우리편 6기
펴낸이 | 한건희
펴낸곳 | 주식회사 부크크
출판사등록 | 2014.07.15.(제2014-16호)
주   소 | 서울특별시 금천구 가산디지털1로 119 SK트윈타워 A동 305호
전   화 | 1670-8316
이메일 | info@bookk.co.kr

ISBN | 979-11-410-8583-4

www.bookk.co.kr

우리편 6기의
추억저장소

우리편 6기 지음

CONTENT

제2화   시인의 마을

프 롤 로 그

안녕하세요! 우리편 6기입니다.

3월 4일, 낯선 교실에 발을 들인지가 엊그제 같은데 어느새 100일이라는 시간이 흘렀습니다. 어색하고 낯선 우리들의 모습이 기억이 잘 기억나지 않습니다. 서로의 얼굴을 익히고 이름을 외우고 함께 일상을 보내며 우리는 시나브로 서로의 편이 되었습니다.

이 책은 우리들이 함께 해온 과정을 담았습니다. 매일 아침 생활기록장을 쓰고 서로 글을 나누고 일상을 공유하며 즐거웠던 기억들이 「시」라는 이름으로 이곳에 차곡차곡 쌓여있습니다. 매일 5교시 나른한 시간, 라디오 사연을 듣는 열혈 청취자처럼 친구들의 일상을 공유하며 흘려보내기 아까운 이야기들을 담았습니다. 생활기록장으로 시작해 멋진 시인이 된 여러분을 응원합니다. 우리가 앞으로 쌓아갈 날들이 더 많음에 감사합니다. 올해도 선물과 같은 여러분을 만나 많은 순간 행복함을 고백합니다.

함께 한 100일, 모든 날들이 좋았습니다.

2024. 6. 11.

방울토마토가 자라기 시작한 교실에서 성진숙 선생님

1. 5 키즈 온 더 블럭

주머니에 넣고 싶어!

권민지

안녕하세요. 저는 무거초등학교에 다니는 권민지 입니다. 오늘 저는 아주 귀여운 이야기를 해보도록 하겠습니다.

이번 달에 저는 캠핑을 갔습니다. 그런데 친구도 없고, 핸드폰도 1시간 내내 봐서 볼 것도 없던 찰나 엄마께서 캠핑장에 놀이터가 있다고 하셨습니다. 놀이터를 갈 생각밖에 안 들고 너무나도 신났습니다. 놀이터는 저희 텐트랑 좀 멀리 있어서 한 10분쯤 걸어야 하는데 갑자기 다람쥐가 저희 앞을 '슉!'하고 지나갔습니다. 너무 놀라지만 다람쥐를 본 게 신기해서 더위를 잃은 채 다람쥐를 조심조심 따라갔습니다. 다람쥐를 자세히 보니 너무 귀여워서 주머니에 포켓몬처럼 넣고 싶었습니다. 한편으론 다람쥐를 발견한 제가 대견했습니다. 다시 그 다람쥐를 보면 주머니에 쏙하고 넣어야겠습니다. 아 참! 여러분도 저처럼 작고 소중한 동물을 보면 주머니에 넣고 싶지 않나요? 전 무척 그렇습니다.

오늘 저의 작고도 소중한 귀여운 다람쥐의 이야기를 들어주셔서 정말 감사합니다.^^

토끼굴

김도훈

안녕하세요? 무거초등학교에 다니는 5학년입니다. 컴퓨터 방과후를 마치고 집에 가는 길이었습니다. 컴퓨터 방과후가 끝나서 상쾌하고 기분이 좋았습니다. 그런데 저희 선생님 반에 불이 켜져 있어서 순간 오만 생각이 다 들었습니다. 그리고 궁금하기도 했습니다. 친구1이 가서 저희 반 선생님이 있는지 보러 갔습니다. 그런데 친구1이 선생님이 있다는 겁니다. 친구1이 저희 반에 들어가자고 말하였습니다. 그런데 저랑, 친구2는 가기가 싫어서 가위바위보를 하였습니다. 그런데 제가 졌습니다. 그 순간은 세상이 나쁘다는 생각을 하였습니다. 그 때 토끼 굴 속담이 생각이 났습니다(원래는 호랑이굴). 그래서 친구1에게 왜 가야 하냐고 물어보았습니다. 그렇게 밀고 가다가 '그냥 가자'라는 말이 나왔습니다. 그 순간은!! 마음 속으로 '다행이다' 라고 외쳤습니다. 그런데 선생님께 죄송한 마음이 들었습니다. 어찌어찌 학교 교문을 나왔습니다. 그런데 아직도 선생님께 미안한 마음이 있습니다. 다음에는 꼭 인사를 해야겠다는 생각이 들었습니다. 지금까지 제 이야기를 들어주셔서 감사합니다.

라면의 행복 아니면 불행

김민재

안녕하세요? 저는 무거동에 사는 5학년 입니다. 저는 운동을 좋아합니다. 그래서 합기도를 다니고 있습니다. 어느 날 운동이 끝나고 집에 가려고 합니다. 그런데 배가 너무 고파서 라면 한 그릇을 먹었습니다. 근데 목이 막히면서 목이 말랐습니다. 그래서 라면 국물을 먹고 아직 배가 고파서 또 라면을 먹고 집에 갔습니다. 집에 갈 때 말했습니다. "아 배불러." 집에 가서 저녁을 1그릇 먹었다. '아 2그릇 먹을 수 있는데' 하면서 아쉬워 했습니다.

밤에 잘 때 배가 '배고파!!!!!!!!!' 하면서 요동을 쳤습니다. 그래서 10시 30분쯤에 잤습니다. 그 사건 이후 학교에서 2그릇 먹고 밖에서 먹은 적이 없습니다. 근데 어제 배가 '배고파 배고파 배고파' 하고 거의 기절할 뻔했습니다. 집에서 2그릇 먹고 간식 먹고 배고픔을 달랬습니다. 라면을 먹고 싶다고 생각했습니다. '오늘 먹어야겠다~.' 라고 생각을 한 적이 많습니다. 그래서 힘든 적이 많습니다.

감기

김보민

오랜만에 감기에 걸렸다 오랜만이라 더 아팠다. 병원에 갈
려고 했는데 학교 갈 시간이라 어쩔 수 없이 학교를 가게
되었다 그때 난 생각했다. 난 오늘 죽을 것 같은 하루가 된
다는걸…….

난 최대한 보건실에 안 가려고 노력했지만 백혈구가 졌다.
병균은 내 몸에 마을을 짓고 내 몸을 감염시키기 시작했다
백혈구가 다시 싸웠지만 역부족이 이었다. 결국 최선의 방
법을 썼다 보건실 가기! 백혈구의 승리로 힘이 났다. 이제
모든 걸 할 수 있을 것 같다
백혈구야 힘 내거라! 라고 외치며 생각했다 이제 감기 걸리
기 싫어!!!!!!!!!!

불닭

김보희

맵찔이인 내가 치즈 불닭을 먹었다. 너무 매워 입에 불이 날 것 같았다. 하지만 나는 먹는다. 왜냐하면 맛있기 때문이다. 그래서 한3~9입? 정도 먹었다.

내가 조르고 졸라 먹었지만! 우리 불닭을 하신 엄마한테 짜증을 내었다. 나는 엄마가 화를 낼 줄 알았지만, 우리 엄마도 맵찔이여서 그런지 화를 안냈다.

엄마가 불닭 소스를 보여주었다. 나는 당황했다. 왜냐하면......소스를 반의반도 안 넣었다.......찐으로 당황하였다.

(남은 것 아빠한테 주었거나 버렸겠지???????) 나의 첫 불닭 이야기를 들어주어서 감사합니다! ^^

거울미로

박한율

7살 때 재미있게 놀이동산에 가서 놀이기구를 타고 돌아보고 있었는데 거울미로 가 있어서 재미가 있겠다고 들어가자고 엄마한테 말했다.

들어가서 초반쯤에는 쉬웠는데 중반쯤에는 혼미해졌다.

그리고 시계를 봤는데 나가야 하는 약속 시간이 조금 남아서 뛰어갔다. 이때 머리가 빙빙 돌았고 급했다. 만든 사람을 찾아서 때리고 싶었다.

이때 내 머리 안에는 "어떻게 하지" 밖에 생각이 없었다.

시간이 조금 밖에 없어서 뛰어가다가 거울에 머리를 박아 "깡"!!!!!!!!!!!!!!!!!!!!!!!!!!!!!!! 야구 배트에 야구공이 맞는 소리가 났다.

혹이 나서 엄마가 나를 혹부리 영감이라고 불렀다.

다시는 거울 미로에 안 가겠다고 다짐했다!

그리고 놀이공원을 싫어하지만 이번 소풍이 놀이공원이어서 도전 해보겠습니다.

제 이야기를 들어주셔서 감사합니다.

^-^

우리 집 맹수

김세인

안녕하세요. 저는 5학년 여학생입니다. 여느 때와 같이 일어나서 학교에 갈 준비를 하고 있었습니다. 그런데 돌이가 너무 귀여워서 만졌습니다. 그러고 나서 밥 먹으러 거실에 갔는데 돌이가 갑자기 저를 무섭게 쳐다봤습니다. 하지만 저는 별거 아니라고 생각했습니다. 그래서 당연히 무시하고 밥을 먹었습니다. 밥을 먹는 와중에도 돌이가 저를 계속 응시하고 있었습니다. 제가 하는 행동 하나하나를 계속 응시했습니다. 뭔가 무서웠습니다.

그런데 그 순간 돌이의 눈이 점점 커지고 달려올 준비를 하면서 몸을 움직였습니다. 저는 그 순간 저를 물려는 것을 직감한 것과 동시에 위기감을 느꼈습니다. 그래서 저는 제가 낼 수 있는 제일 빠른 속도로 제 방으로 뛰었습니다. 돌이는 저를 엄청나게 빨리 쫓아 왔습니다.

저는 결국 물리게 되었습니다. 저는 이 세상은 저에게 너무 가혹하다는 생각과 동시에 너무 아팠습니다. 그래서 저도 모르게 엄청난 고함을 질렀습니다.

"아아아아아아아아아아악"

엄마가 놀라서 달려오셨습니다.

"무슨 일이고?"

동생도 달려왔습니다.

"누나 무슨 일 인데?"

"돌이한테 물렸어"

동생이 배를 잡고 깔깔거리며 웃었습니다. 그래서 동생을 때렸습니다. 그와 동시에 엄청나게 찰진 소리가 들렸습니다. 엄마는 팔짱을 끼며 말했습니다.

"그러니까 엄마가 돌이 앞에서 까불지 말라고 했지!"

엄마는 저에게 위로는커녕 괜찮아라는 말조차 해주지 않았습니다. 저는 속상하기 보단 뭔가 진 것 같습니다. 그리고 또 웃겼습니다. 그래서 그 말을 듣고 한참을 웃었습니다. 그 뒤에 엄마가 한마디를 더 붙였습니다.

"돌이 좀 놀아주라 애가 심심해서 그라잖아"

라고 했습니다. 그래서 바로 장난감 막대기를 들고 놀아 주었습니다. 그런데 돌이는 놀아주어도 계속 물고 있습니다. 돌이는 그냥 저를 싫어하는 것 같습니다.

oh my   phone!!

안녕하세요. 저는 평범한 5학년 학생이에요. 이건 제가 고모집 갈 때 생긴 재밌는 에피소드라 이야기 해드리려 해요. 때는 2023년 8월 19일 11시경 저는 고모집에서 자고 온다는 소식에 급급하게 짐을 싸고 있었어요. 저는 들뜬 마음으로 저희 엄마차에 탔어요.

"엄마 우리 노래 틀어도 돼?"

저는 멀미가 나서 차에서 자고 있었지요 드러렁 쿨쿨~~

저는 아무것도 모르고 깊은 잠에 빠졌어요.

하지만 그때까지 몰랐어요. 제가 폰을 안들고 온 줄은...저희 엄마와 언니 그리고 동생은 휴게소에 들러서 먹을 것을 조금 사고 있었는데 제가 잠에서 깬 거에요. 저는 제 얼굴이 어떤지 보려고 폰을 찾았어요. 저는 제 주머니에 손을 넣어봤죠.

"으..응??" 폰이 없었어요. 전 순간 가슴이 철렁했지만 주면을 둘러보고 가방을 살펴보았어요. 순간 제 뇌에 있는 폰을 찾는 데이터는 뒤죽박죽 얽히게 되었어요. 마침 엄마께서 들어오셔서

"이것 좀 먹어" 하는 순간

" 엄마 내 폰이 없어졌어!!" 엄마는

" 집에 있던데 안 가지고 나왔니?"

라는 살벌한 한마디를 듣고 충격을 먹었어요.

" 뭐야!! 안 알려줬어??"

16   우리편 6기의 추억 저장소

저는 애꿎은 엄마에게 짜증을 내었어요. 저는 엄마께 꾸중을 듣고
"그럼 폰은..??" 이라고 물어봤죠. 엄마는 돌이킬 수 없다는 한마디를 내뱉었고 저는 고모집에 있는 내내 재밌게 놀았지만 왠지 모를 긴장감 그리고 폰에서 중요한 메시지가 올 수 있다는 불안감에 재밌게 놀지 못했어요.
저는 고모집에서 우리집으로 도착하자마자 폰을 보았어요.
"이..뭐야.. 아무 것도 안 왔네..ㅋㅋ"

야구장에서 죽을 뻔!

류하정

 안녕하세요, 저는 평범한 초등학교 5학년 여학생입니다. 오늘은 제가 여섯 살 때 있었던 일을 이야기해 드리려 해요.

 여섯 살 때, 저는 부모님과 같이 야구장에 갔던 적이 있어요. 그때는 야구가 뭔지도 제대로 모르고, 아빠가 어떤 팀을 좋아하는지도 잘 몰랐어요. 태생적으로 스포츠에 관심이 없다 보니 지루함이 두 배가 되었죠. 그래서 그 시절 저에게는 야구 경기장 가는 게 그저 '지루하게 앉아서 기다리기'였어요. 엄마 아빠와 재미있는 이야기라도 하고 싶었지만, 야구광이던 아빠는 경기에만 열중하시더군요. 엄마도 야구장에서 둘이서 떠드는 걸 원하진 않으셨어요. 그러자 절로 하품이 나오고, 다리도 비비 꼬이고, 손도 마구 흔들고 싶었어요.

 '이거 아무리 기다려도 안 되네. 빨리 좀 끝나라!'

 저는 하느님 부처님을 다 부르면서 경기 좀 끝나게 해달라고 빌었습니다. 이젠 아예 엉덩이도 들썩거릴 정도로 심심하고 지루했어요. 도저히 견딜 수가 없던 저는 옆에 앉아 있던 엄마 품에 안겼습니다. 푹신푹신, 역시 엄마 품이 딱딱한 의자보다 백배는 나았어요. 진작 여기 올걸, 하는 생각이 들었습니다.

 "하정아, 얼른 내려가서 네 자리에 앉아라."

아빠가 말씀하셨어요. 하지만 자리에 갔다간 다시 엉덩이가 들썩들썩, 손이 후들후들, 다리는 꽈배기로 변할 게 뻔했어요. 저는 안 간다고 버텼습니다.

"싫어! 난 엄마 품에 안겨 있을 거예요."

아빠는 결국 저를 그대로 놔두셨어요. 저는 신이 나서 엄마 품에 앉아 있었습니다. 그때! 타자가 방망이로 친 공이 시속 100km를 능가하는 속도로 관중석 쪽으로 날아왔습니다. 그 딱딱한 짱돌 같은 공의 목적지가 어디였는지 아세요?

바로 제가 원래 앉아 있던 자리였습니다.

"슈웅! 콰지직!"

공은 천둥 같은 소리를 뿜내기라도 하듯 제 자리를 강타했습니다. 그 광경을 두 눈으로 보고서도 제 자리에 그 딱딱한 물건이 왔다는 게 안 믿기더군요. 그 자리에 그대로 앉아 있었다면 갈비뼈가 부러지고도 남았을 거라는 생각에 몸이 절로 부들부들 떨렸습니다. 어쩌면 제가 느꼈던 심심

함이나 저의 고집이 제 생명을 구한 게 아닐까요? 그땐 "와, 정말 다행이다!" 라는 생각만 했지만, 좀 더 큰 지금은 그 작은 애교 덕에 목숨을 건진 거라는 생각이 드네요. 새삼 저의 작은 어리광에 감사하는 생각이 듭니다. 그 덕에 제가 이렇게 멀쩡히 살아 있으니 말이죠. 지금까지 제 사연을 읽어주셔서 감사합니다!

급똥이 나를 행복하게 했다

이정우

안녕하세요. 저는 5학년 남학생입니다.

베트남에 가려고 했는데 급똥 신호가 왔습니다. 그래서 저는 화장실에 가는 도중에 신호가 멈춰 에스컬레이터를 타고 공항에서 화장실로 갔습니다. 그 때 온 세상이 저를 도와주는 것 같았습니다.

근데 화장실에 휴지가 없어서 세상이 억울했습니다. 공항에서 밥을 먹고 소화하는데 배가 꾹르륵 꾸르륵륵 배에 소리가 나 화장실 2번째 칸에 가서 시원하게 쌌습니다.

즐겁고 불안한 필리핀 여행

민정연

안녕하세요. 저는 필리핀에 간 날 이라는 사연을 보낸 민정연입니다. 처음엔 필리핀에 가려고 비행기를 탔습니다. 비행기를 타니 엄청 설레고 가슴이 두근두근 거렸습니다. 필리핀에 도착하니 피곤한 나머지 1일차에는 바로 잠이 들어 1일을 그냥 날려버렸습니다. 2일차에는 바다에 가서 스쿠버 다이빙을 했습니다. 물고기 밥도 주며 물고기를 구경하는데 엄청 신기하고 재밌었습니다. 3일차에는 마사지 가게에 갔다가 쇼핑몰에 가서 목걸이를 샀습니다. 또 아는 언니, 남동생과 함께 수영장에 가고 인형들이 가득한 인형가게에 와서 아기자기한 귀여운 강아지 인형을 샀습니다. 다시 바다에 가서 새우, 소라 등 바다 음식과 삼겹살을 먹었습니다. 4일차에는 망고 가게를 가서 망고 스무디와 망고 케이크를 먹었습니다. 망고 젤리도 사고 귀여운 붕어빵 인형 같은 게 붙은 집게 핀도 샀습니다. 굉장히 신나고 행복했습니다. 또 필리핀 여행의 마지막 날에 뷔페를 가고 수영장에 와서 놀다가 비행기를 타러 공항에 왔습니다. 이때 재밌었던 여행이 끝나자 아쉬운 마음이 들었습니다. 근데 공항에서 갑자기 엄마가 안보였습니다. 저와 저희 오빠는 비행기 타야 할 시간이 10분도 안 남아 있어서 굉장히 불안한 마음이 들었습니다. 비행기를 탈 시간이 5분 남았다는 안내방송이 들리자 왠지 모르게 심장이 엄청 쿵쾅쿵쾅 뛰었습니다. 다행히도 엄마도 그 안내방송을 들으셨는지 한 30초 뒤에 엄마가 삼촌이랑 걸어 오는 게 보였습니다. 엄마는 화장품 가게에 들렀다 왔다고 했습니다. 엄마가 오고 비행기에 타고 집에 왔습니다.

저의 필리핀에 갔던 사연 들어주셔서 감사합니다.

8명 물총놀이

박지현

안녕하세요. 저는 5-2반 우리 편 6기 13번 박지현 입니다. 어느 날 저는 저희 반 여학생 친구들 8명이랑 같이 물로 장난치다 놀다가 친구들이랑 이야기를 하였습니다. 무슨 이야기냐면 이번 주 토요일 물총놀이를 하기로 하였습니다. 너무나 기대가 되고 설레었습니다. 며칠이 지나 어느 날 맑은 토요일 아침 저는 문득 친구들이랑 한 약속이 생각이 났습니다.

"아 싸 친구들과 물총놀이 시간 아싸 !!!!!!!!! "

기대감이 큰 물총놀이가 드디어 제 코앞이었습니다. 9시까지 나가야 해서 빨리 준비하고 나갔습니다. 동원 코놀(코끼리 놀이터)에서 만나 물총놀이를 재밌게 하기로 했었습니다.

"후후 얘들아 안녕 우리 진짜 재밌게 놀자 !!"

이런 말은 하며 다른 친구들을 만나러 갔습니다. 이젠 다 모여서 신나하며 기대를 더더욱 했습니다. 짐을 내버려두고 친구들과 같이

"준비. 시작 하면 하는 거다 ㅋㅋ !!"

이러며 제가 장난을 쳤죠.

"이번엔 진짜 준비 시작 !!!"

비명과 함께 물총을 '다다다" 애들한테 쏘았죠. 물을 제 친구 A가 말을 했습니다.

"야야 얘들아 우리 이젠 워터슬라이드 할래. "

저는 너무 좋은 바람에 바로

"그래그래 재밌겠다. "

라고 말을 했죠. 이제 한명씩 타고 몇 명은 아래 위 옆에 물을 뿌리며 재밌게 타게 해줬어요. 저는 문득 그런 생각이 듭니다.

'우리가 제일 재밌게 노네. 애들 덕분에 너무 행복하다 !'

저는 속마음으로 말을 했어요. 애들이랑 물총놀이를 잠시 멈추고 우리 8명은 편의점으로 향했어요. 저는 불 닭볶음* 포카* 음료를 사였습니다. 애들도 과자 음료라면 이렇게 사였어요. 애들이랑 음식을 만들고 같이 편의점 옆에 있는 먹는 곳에서 같이 앉아서 먹었습니다. 그리고 사진도 왕창 찍고 행복했어요. 그리고 다 먹고 정리를 한 뒤 다시 올라가 물총놀이를 시작하기로 했어요. 열심히 올라와 다시 코놀에 도착을 했습니다.

"얘들아 잠시만 쟤네들 뭐야 ?? "

라고 제 친구 B가 말을 했습니다. 친구가 가리키는 쪽을 보니 어떤 남자애들이 저희 물총을 차는 그런 모습을 보았죠. 그래서 저희가 화를 내지 않고 말을 해보았어요.

"얘들아 이거 우리 물총인데 너희 우리 물총 왜 차고 있는 거야 ? "

라고 했어요. 근데 걔네들은 튀었습니다. 저흰 그때 당시엔 너무 당했습니다. 저희는 이제 신경을 끄고 저희끼리 놀았죠. 근데 아까 저희 물총을 찬 남자애들이 물총을 가지고 온 것이었죠

그래서 저희들은

"야야 쟤네 물총 들고 옴 . "

이라고 말을 했습니다. 그 남자애들은 저희를 보며 속닥거렸죠. 저희는 그 말들이 뭔지 알았죠. 저희가 그 남자애들보다 나이가 더 많은데 쏜다는 듯 본 것 같죠 .

"저 누나들 쏠까 ? "

이런 말들이 전 예상이 갔어요. 저희 입장에서도 너무 기분이 이상했어요.

"얘들아 우리 그냥 신경 끄고 놀자 . "

친구들과 이런 말을 하고 저희끼리 노는 그때 남자애들이 저희 친구들한테 물총을 쏜거에요

저랑 제 친구 몇 명은 물을 뜨러가 그 상황에 없었고 그걸 당한 몇 명 친구들이 말을 해주었습니다. 근데 다행히 친구들이 뭐라고 한 것 같아요. 친구들이 뭐라고 말을 했다고 했어요.

　물총놀이 할 때 조심하세요. 긴 글 읽어주셔서 감사합니다. ~ !

행복했다가 막장

조재형

안녕하세요. 저는 사연을 보낸 조재형이라고 해요.

이 사연은 제가 4학년 겨울 방학 때 있었던 일입니다. 제가 운동을 하고 집에서 샤워를 했습니다. 저는 어느 때 보다 피곤해서 침대에서 쭉 뻗었습니다.

그런데 방금 샤워를 하고 나온 저에게 어머니께서 공부를 하라고 했습니다. 저는 침대랑 약속이 있다고 말했는데 원래 안 그러시던 어머니께서 쉬라고 하셨습니다. 그래서 저는 마음속으로 '이게 웬 횡재야 "라고 했습니다.

하지만 불과1,2분 뒤 어머니께서 공부를 하라고 했습니다. 저 '1,2분밖에 안 쉬었는데 나한테 왜 그래'라고 말하고 싶었지만 어머니께서 또 말대꾸 한다고 해서 싸울까봐 안 말했습니다. 그래서 마음속으로 어머니에게 심한 욕을 하고 있었습니다. 나는 어머니께 마음속으로 욕을 아무리 해도 공부해야 한다는 것은 사라지지 않는다는 것을 알았습니다. 전 절망했습니다.

그리고 저는 공부를 하면서 "내가 만약에 대통령이 된다면 학교, 학원, 등을 안가고 숙제를 없애버릴 거야"라는 아주 좋은 야망을 가졌습니다. 그런데 동생이 "형 어차피 대통령 안 되잖아"라고 해서 더 짜증 나는 하루가 되었습니다.

아빠한테 속았어

배규빈

저는 무거초등학교에 다니는 평범한 5학년 학생입니다. 이제부터 저의 옛 사연을 얘기 해보려고 합니다. 이제부터 저의 사연을 얘기 해보겠습니다.

가족 다 같이 식탁에 옹기종기 모여 냠냠 맛있게 저녁밥을 먹고 있을 때였습니다. 아빠가 고추가 안 맵다고 해서 저는 아빠를 믿고 크디큰 고추 하나를 집어서 입 안에 쏙 넣었습니다. 그런데 매운맛이 입안에서 슬슬 올라오기 시작하더니 마침내 폭발하고 말았습니다.

"헤엑 헤엑!"

혓바닥이 물을 달라고 소리치고 있었습니다. 혓바닥이 신 것을 먹은 것처럼 따가웠습니다. 아빠가 정말 미웠습니다. 머리에서 복수심이 부글부글 끓었습니다. 아빠 때문에 원하지 않았던 매운맛을 느꼈습니다. 물을 벌컥벌컥 마시고 매운맛을 겨우겨우 진정시켰습니다. 그러다 동생에게도 먹여볼까? 하는 생각이 들었습니다.

"아 싫다고오오!"

억지로 먹여보려고 했지만 동생은 강하게 거부했습니다. 저의 작전은 실패를 하고 말았습니다. 그런데 어차피 동생이 먹었어도 안 매운 척을 하면서 뻥을 칠거기 때문에 굳이 그렇게 중요하지는 않았습니다. (저는 원래 제가 먹은 것을 다른 사람에게 강요하는 것을 좋아합니다.) 엄마는 아빠에게 화를 냈습니다.

"여보! 당신 입맛이랑 애 입맛이랑 달라! 당신한테만 안 매운 거라고!"

아빠는 머쓱해했습니다. 요즘에도 고추를 잘 안 먹습니다. 마늘이나 와사비는 잘만 먹는데 고추는 이상하게 잘 못 먹습니다. 매운 음식 먹기 실력을 더 키워야겠습니다.

으악! 너무 매워!

소머리의 충격

신지수

안녕하세요 저는 5학년 학생 신지수라고합니다. 이일은 제가 한달 전에 겪은 일입니다. 여느 때와 다름없는 평범한 일요일 이었습니다. 할머니께서 이모할머니 댁에 간다 하셔서 아무 생각 없이 따라갔는데 맛있는 고기 냄새가 나서 주방에 가보니 형체를 알아볼 수 없는 고기가 있었습니다. 그것의 정체를 알기 전 까지는 그냥 평화롭게 고기를 먹을 생각에 들떠있었습니다. 이것이 무엇이냐고 할머니께 물어봤는데 소머리와 **소 혀** 라고 하셨습니다. 그 뒤로 할머니께서 소머리와 소 혀를 자르실 때마다 온갖 섬뜩한 생각이 났습니다. 지금까지 제가 맛있게 먹었던 고기가 충격적인 비주얼의 소머리와 소 혀라고 생각하니 온몸에 소름이 돋았습니다. 토 나올 거 같은 비주얼이어도 꾹 참고 그냥 제가 좋아하는 음식을 먹었습니다. 그래도 이모할머니 댁엔 항상 고기류와 손맛 가득 다양한 종류의 김치가 있기 때문입니다. 정신적 충격을 받은 저는 오늘부로 소머리와 소 혀와 영원히 안녕 하기로 약속했습니다. 지금까지 그 생각만 하면 온 몸에 소름이 돋습니다. 세상에는 많은 음식이 있다는 것을 잘 알게 된 날 이었습니다. 솔직히 저는 편식이 심해서 낯선 음식은 더더욱 경계하는데 맛있게 먹던 게 충격적인 비주얼의 소 장기였다니 그때는 좀 순수해서 그냥 넘어갔지만 지금은 조금 많이 동심 파괴가 되어있는 상태입니다.. 사실 저는 소머리와 소 혀를 처음 봤을 때 이런 말을 했습니다.

"할머니 이게 뭐죠..? 너무 끔직한 비주얼 인데.. 세상에 이런 음식이 있었는지도 몰랐구.."

그러자 할머니께서 말하셨습니다.

"허허 이건 소머리와 소 혀란다. 너는 처음보지?"

저의 대답은 이러했습니다.

"5살 때 산타가 없다는 것을 처음 안 날 같아요.."

제가 그 말을 하자 그곳에 있던 모두가 빵 터졌습니다. 하지만 한 달 밖에 안 지났지만 어제 일처럼 생생하게 느껴집니다. 이제는 이것도 하나의 추억이 됐네요. 저는 이것도 가장 소중한 추억이 아닐까 생각합니다. 그럼 안녕히 계세요.

안 맛본 입 삽니다

이연후

안녕하세요. 올해 5학년이 된 평범한 초등학생 이연후입니다. 다들 제 제목을 들으시면 '뭘 맛본거지?' 하고 생각하실 겁니다. 그럼 지금부터 제 사연을 시작하겠습니다.

때는 2학년 주말, 저는 상쾌한 일요일 아침에 한가롭게 침대에서 눈을 떴습니다. 저는 항상 매트릭스 위에서 잠을 자지만 그날은 침대 위에 있길래 아빠나 엄마가 침대 위로 올려놨나? 하고 생각했고 그냥 지나쳤습니다. 눈을 비몽사몽 누워서 뜬 순간, 동생의 발이 내 코앞에 와 있는 겁니다! 2학년.. 철 없던 저는 동생 발을 깨물어버리고 싶다는 생각이 들었지만 그땐 우리 집 식구들이 다 잠에 들어 있었기 때문에 깨물고 싶은 마을을 억누르고 참았습니다. 동생 발을 보고 누워있던지 10분 정도 지났을까? 동생 발가락이 눈앞에서 움직이는 걸 계속 보고 있자니, 더더욱 깨물어버리고 싶어져서 이불을 덮어쓰고 20분 정도 다시 잤답니다. 다시 일어났을 때는 엄마가 일어나셨는지 밖에서 달그락달그락 거리는 소리가 났습니다. 엄마도 일어났겠다, 저는 이때다 싶어 꼼틀거리는 5살짜리 동생의 발가락을 물고 쪽쪽이 빨듯이 쪽쪽 빨았습니다. 지금 생각하면 정말 너무 수치스럽지만요. 동생은 몸부림이 심해서 동생 발이 제 눈앞에 있었던 거 같은데, 동생의 머리 쪽에서 제 또래 여자아이의 '악!' 하는 목소리가 나는 것 입니다! 저는 동생 입에서 그런 목소리가 난다는 걸 생각하니까 좀 섬뜩해서 이불 속에 들어가 두 손을 꼭 잡고 있었습니다. 심장이 쿵쾅쿵쾅 뛰었지요. 몇 초 뒤, 그 목소리가 저 보고 비몽사몽한 목소리로 '연후...야?' 하는 것입니다. 그때 저는 저의 쿵쾅거리는 심장이 멎는 것 같은 느낌이 들었죠. 그 목소리는 다시 제 이름을 부르면서 제가 덮어쓰고 있던 이불을 휙 하고 걷어 젖혔어요. 저는 그 순간 '꺄아아악' 하고 소리를 질렀고 밖에서 설거지 하시던 누군가가 뛰어 들어왔어요. 감았던 눈을 떠보니 친구와 친구 엄마가 저를 내려다보고 있는 거 있죠! 친구에게 들어보니 제가 소리를 치면서 눈을 감고 손을 허공에 내저었다 하더군요.. 저는 솔직히 조금 머쓱해 졌습니다. 알고 보니 저는 전날 친구 집에서 잤었던 거였고, 발은 친구의 발이었던 것입니다. 아침을 먹을 때 친구가 저에게 물었습니다.. '너가 내 발 빨고 깨물었냐?' 라고요.. 저는 쑥스러워 하면서 맞다고 했고 우리는 서로를 바라보며 박장대소를 했습니다. 생각해 보면 친구와 동생 둘의 발 냄새가 똑같아서 신기했었어요. 그러니까 한마디로 요약하면 이 사건은 저의 기억력의 지나친 저하로 인해서 생긴 거였죠. 집에 돌아가서 동생의 발 냄새를 다시 맡아봤는데 친구 발 냄새와 틀림없이 비슷했습니다. 물론 동생 발 냄새가 좀 더 썩은 것 같긴 했지만요.

  그럼 여기까지 저의 사연이었습니다. 지금까지 집중해서 들어주셔서 감사합니다~

우리가 잘 때 동생이 하는 일

이유찬

안녕하세요~! 저는 무거초등학교 5-2 이유찬입니다. 지금부터 저의 웃긴 일을 소개하겠습니다. 어느 날, 공부를 빨리 끝내고 아주 평화롭고 여유롭게 양치를 하고 침대에 누웠다.

"아~ 살겠다."

이제 공부는 다 해치웠고 공부도 없으니 살 수 있겠다는 생각이 들었다. 그리고 아주 평화로웠다. 여기까진.

새벽 2시 30분, 자고 있는데 어디선가 구리구리한 냄새가 났다. 그래서 난 자다가 깼다. 그런데 내 동생 엉덩이가 내 눈 앞에 있었다. 너무 불쾌했다. 그래서 난 내 동생 엉덩이를 찰싹 때렸다. 그런데 충격이 컸는지 방귀를 또 꼈다. 그 순간, 숙제는 없는데 동생이 있다는 생각이 들었다. 너무 슬펐다.

'하~'

갑자기 내가 동생이랑 자는 것이 원망스러웠다.

다음날, 내 동생한테 어제 있었던 일을 말했다. 그런데 갑자기 그 이야기를 듣고 내 얼굴에다가 방귀를 또 꼈다.

"아아아아아아아악!!!!!!!"

난 기절할 뻔했다. 어제 구리구리한 냄새의 범인은 내 동생이 맞았다. 난 역시 운이 안 좋은 건가.......... 어떻게 난 이런 동생 위에서 자랐지? 라는 생각이 들었다.

'차라리 형이었으면 맞고 끝내지, 흑흑~.'
라는 생각이 들었다.
이날 오후에 영어학원에 갔다. 그런데 이날이 금요일 시험
치는 날 이었다. 근데 또 시험을 쳤는데 재시가 걸렸다. 이
날은 운이 정말 없었다.

처음 먹어 봤어요!
탕후루

이지후

이 사연은 제가 몇 달 전에 겪은 일입니다. 친구들이랑 울대 앞에서 만나서 친구랑 같이 놀고 있는데, 친구들이 왕*탕후루에서 탕후루를 사 먹자고 했습니다. 저는 그때 탕후루를 한 번도 사 먹어보지 않아서 탕후루가 어떤 맛일지 너무 궁금하고 '탕후루가 비쌀까?'라는 생각도 해보았고 설렘도 느꼈습니다.

저는 왕*탕후루에서 긴 고민 끝에 샤인머스켓 탕후루를 골랐습니다. 그리고 의외로 그렇게 비싸지는 않았습니다. 가게 밖에 나와서 샤인 머스켓 탕후루를 한 입 베어보니 바삭한 (?) 설탕 코팅을 깨무니 안에 있는 과일의 과즙이 시~원하고 달~콤하게 입안으로 퍼지면서 달달한 설탕 코팅과 조합이 맞았습니다. 저는 그 순간 신의 경지에 도달한 것 같았고, 온 세상을 다 가진 것 같았습니다. 저는 딸기 탕후루를 더 사 먹으려 했지만 돈이 없어 아쉬워하고 있었는데 구세주 같은 친구 중 한 명이 나타나서 돈이 남으니 사주겠다고 했습니다. 저는 신이 났지만 마음 한 편으로는 그 친구한테 미안하기도 했습니다. 그래도 저는 그 친구가 사준 딸기 탕후루를 맛있게 먹었습니다.

그리고 친구들이랑 울대를 다녀오고 저는 그 친구에게 보답을 하고 싶어 문*방*에서 그 친구한테 사주기로 마음먹어서 엄마에게 체크카드에 돈을 보내달라고 했지만 엄마는 안된다고 했습니다. 그때 저는 아직도 그 친구에게 미안한 마음이 있어 이**24에서 가식을 사주었습니다. 저는 그 때 뿌듯한 마음이 들었습니다. 지금까지도 그 친구랑 이주 잘 지내고 있습니다. 지금까지 저의 사연을 들어주셔서 정말 감사합니다.

급하다 급해!

정세인

이 사연은 제가 얼마 전에 겪은 일입니다.

여느 때와 마찬가지로 평화롭게 영어 학원에 가고 있었습니다. 너무 심심해서 '무슨 일이라도 일어났으면 좋겠다.'라고 생각했습니다. 그런데 친구가 헐레벌떡 뛰어와서

"뭐 해? 빨리 단어 안 외우고. 오늘 단어 시험 있잖아!"

라고 말했습니다.

하늘이 무너지는 느낌이었고 거북이처럼 느리게 온 제가 원망스러웠습니다.

그래도 재시만은 피해야 했기에 급하게 젖 먹던 힘까지 싹 다 쥐어짜내서 10분 동안 단어를 열심히 외웠습니다. 드디어 격전의 시간이 되었습니다. 열심히 단어를 외웠지만 10분으로는 역부족 이었습니다. 채점을 하는데 종이에 빨간 펜이 그어지는 것이 제 가슴에 그어지는 느낌이었고 너무 마음이 아팠습니다.

그래도 다행히 30문제 중에서 25문제를 맞춰서 겨우 재시험 커트라인에 맞춰서 턱걸이 했습니다. 그래도 세상은 아직 날 버리지 않았다는 생각에 기분이 나아졌습니다.

하지만 제가 간과한 게 있었습니다. 바로 엄마의 잔소리 공격입니다. 엄마는 단어시험지를 보고 잔소리 공격을 시작했습니다. 다음 시험에 만점을 못 받으면 게임 시간을 줄이고 틀린 단어 한 개에 30개씩 쓰게 하겠다고 했습니다. 저는

게임 시간만은 지켜야 했기에 열심히 공부했습니다.

그래도 다음 시험에서는 만점을 받았고, 만점을 받으니 기분이 좋았습니다. 그리고 그 다음부터 계속 단어시험에서 좋은 결과를 얻었습니다.

지금이 되어서 다시 생각해 보니 그날이 시험 날이라는 것을 알려준 친구에게 고맙고 또 어머니가 그렇게 잔소리를 하신 것도 감사했습니다.

해피엔딩 슬라이딩 사건

정지유

안녕하세요, 저는 사연을 보내게 된 정지유 입니다.

이 사연은 5학년 때 4월 23일에 있었던 일입니다. 저는 영어 학원을 마치고 수학 학원에 빨리 갈려고 뛰어가고 있었습니다. 아무 마음도 없이 뛰어가고 있었죠. 근데 학원에서 2학년 애도 뛰어오고 있었죠. 그때 가는 길이 똑같아서 서로 부딪혔습니다. 그런데 그때 저와 저의 폰만 슬라이딩하여 넘어졌죠. 넘어진 걸 안 즉시 폰부터 보니 필름은 거의 반 토막 나 있었는데 필름을 떼보니 밑에가 살짝 깨져있었습니다. 그때 같이 부딪힌 애가 "미안해"라고 사과를 했으니 괜찮다고 하고 넘어갔습니다.

폰 확인 좀 해보고 아빠에게 전화해 보니 폰이 깨졌으니 그 2학년 애를 잡으라고 해서 그 상태로 뛰어가서 물어본 뒤에 그 애를 찾았습니다. 그 애 쪽으로 가보니 친구 A, B. C. D 이가 있었죠. 그때 아빠와 통화 중이니 A에게 물어봐달라고 한 뒤 그때 전화번호 이름 등을 물어본 뒤 아빠에게 보냈습니다. 근데 아빠가 같이 부딪혔냐고 물어봐서 저는 "응, 둘다 뛰다가 부딪힌 거야"

라고 말하니 아빠가 "그럼 쌍방이네"라고 말하며 화를 냈습니다. 그래서 저는 억울했습니다. 분명 처음에 전화 받았을 때 제일 먼저 말했었는데 어이가 없었습니다. 일단 아빠가 집 가 있으라고 들은 제가 학원을 안가서 꿀이라고 생각했습니다. 그래서 집 가서 무릎을 보니 양쪽 다 까져있었습니다.

"띠리링" 전화가 와서 다시 받아보니 약 바르고 학원에 가라고 했습니다. 그래서 어쩔 수 없이 학원에 갈려고 하는데 친구 B 가 카톡 이 와있었습니다. "괜찮아?" 와 다른 말로 저에게 걱정을 해주었습니다. 그때 너무 고마웠습니다. 근데 가던 길에 친구 C를 만났는데 친구 C도 걱정을 해주어서 너무 고마웠습니다. 그리고 학원에 도착해서 선생님께 상황 설명하고 15분이나 일찍 마쳐서 너무 좋았습니다. 이 세상 어린이 중에서 학원 일찍 끝나는 게 싫은 사람은 없잖아요. 그래서 학원을 다 마치고 저녁에 폰 보는 중이었는데 A와 D가 제 걱정을 해주었습니다. 저는 오늘 걱정해 준 친구들이 너무 고마운 나머지 친구들에게 기프티콘을 주었습니다. 제 사연 어땠나요? 전 넘어질 때 슬라이딩을 해서 너무 창피 했답니다. 그리고 걱정해 준 친구 A, B, C, D 에게 고맙고 사연 들어주셔서 감사합니다.

똥개훈련, 고생 끝에 엄청난 회

최영민

안녕하세요. 저는 무거초 5-2 최영민입니다. 이 사건은 배고파 소리친 그날의 일입니다.

어느 날, 형이 대회를 갔을 때 가족과 외식을 했는데 회가 먹고 싶어서 회를 먹으러 갔다. 그런데 먹기로 한 횟집이 문을 닫은 것이다. 나는 괜찮다며 다른 횟집에 가보자고 부모님께 말했다. 그런데 다른 곳도 전부 다 닫았다. 헉 배에서 꾸르륵 현기증 날거 같아요! 나는 소리쳤다. 그렇게 부모님은 나의 목소리에 이기지 못하고 결국 다른 곳으로 발을 옮겼다. 맙소사 믿고 있던 시장마저 닫아 버렸다. 왜 세상은 나에게만 이런 저주를 내린 걸까 나는 쓰러지기 직전 번뜩 엄청난 생각을 했다.
나의 생각은 집 앞에 있는 횟집이었다. 그곳은 엄청나게 비싸지만 엄청나게 맛있는 횟집이었다. 나는 그곳이 천국이라 느꼈고, 집에 오니 배가 터질 것 같고 다리도 터질 것 같았다. 그리고 중요한 것은 "고생 끝에 낙이 온다" 라는 말이 "똥개훈련 끝에 엄청난 회"로 바뀐 날이었다.

나는 집에 와서 자려고 했는데 밀린 숙제를 깜빡해서 11시가 다 되어서 잠에 들었다.

신호등 광클!!

한호성

오늘도 여느 때처럼 평범하게 신호등을 기다리고 있었다. 파란불이 빨리 되면 좋겠다. 하지만 너무나 아쉽게도 반대편 신호등이 켜졌다. 반대편 사람들에게 진 느낌적인 느낌이었다. 신호등이 미웠다. 뭔가 불길했다. 근데 학교를 가다 신호등이 또 있었다. 이거 실화인가? 어떡하지? 괜찮을 거야! 나의 바람과는 달리 1초!! 단!1초 남기고 못 건너갔다. 오늘은 아침부터 되는게 없네~ㅠㅠ 1초라서 더 아깝고 화가 났다.

동생은 아주 잘 갔는데 나만 못 갔다. 여기가 지옥인가?! 옆에 보이는 보행자 작동기 버튼을 광클했다.

두!뚜!두! 광클해서 분이 풀리면서 시원했다. 이젠 신호등 없겠지?? 아침부터 힘들었다. 다음에는 신호등 운이 좋았으면 좋겠다. 제발!

지금까지 제 글을 읽어 주셔서 감사합니다. 사랑합니다. 고맙습니다. 좋은 하루 되세요~~^^.

금 붕 어

강 지 예

    우리 할머니 집에는 점박이, 은빛이, 주황이라는 금붕어 세 마리가 살았다. 점박이는 알록달록 점이 많고, 은빛이는 갈치처럼 은색이지만 빛이 났으며, 주황이는 오렌지 같이 진한 주황색이다.

    어느 날 점박이가 먼저 하늘나라로 가버렸다. 밥도 매일매일 주고, 물도 2주에 두 번씩 갈아 주었는데 왜 죽어 버렸지? 갑작스럽게 떠난 점박이를 좋은 곳으로 보내 주었다. 점박이가 없어진 뒤 주황이, 은빛이도 무언가 허전한지 점박이를 찾는 것처럼 어느때 보다 더 빨리 헤엄치며 돌아다녔다. 속상한 금붕어들처럼 나도 속이 상했는지 내 꿈에 점박이가 헤엄치며 다른 금붕어들과 함께 놀고 있었다. 잘 지내고 있어서 다행이라 생각했다. 은빛이, 주황이는 좁은 어항보다 넓은 자연에 살고 싶어 할지도 몰라서 할아버지 친구가 운영하는 식물원의 연못에 이사를 시켜주었다. 연못에 가보지는 못했지만, 친구 물고기들과 잘 살고 있다는 소식을 들었다.

    조만간, 할아버지와 함께 주황이와 은빛이를 만나러 갈 것이다. 소중한 나의 금붕어 친구들과 다시 만날 때 까지 건강하게 잘 지내고 있어 달라고 기도해야겠다.

모래성

김주은

안녕하세요. 저는 5학년 남학생입니다.

제 사연은 옛날 일입니다. 평소처럼 모래성 쌓기를 하고 있었는데 친구가 제 모래성을 부숴서 친구한테 왜 부쉈냐고 물었습니다. 친구가 장난이라고 해서 제가 친구를 때렸는데 친구도 때려서 난장판이 되었습니다. 그때 지나가시는 분이 말려서 1차로 끝났고 그분이 가시고 2차를 시작했습니다. 2차는 모래로 뿌려서 친구가 날린 모래가 제 눈에 들어가서 2차를 잠시 휴전하고 눈을 씻으러 갔는데 너무 따가웠습니다.

그래서 엄마에게 전화해서 엄마가 왔는데 제 눈이 빨갛게 되어서 안과에서 모래를 뺐습니다. 그리고 친구한테 사과를 구했지만, 사과를 안 한다고 해서 친구 엄마에게 말해서 친구는 혼나고 저에게 사과하는 줄 아는데 저를 밀면서 다시 싸웠습니다. 2시간 정도 싸우고 나니 엄마가 오셔서 다시 친구에게 사과를 구해서 친구에게 사과를 받았습니다. 그리고 놀았는데 또 싸워서 엄마한테 말해서 그 친구와 절교를 했습니다. 다시 다른 친구와 모래성을 만들어서 놀았습니다.

우리는 모두 너의 편!

행복한5학년2반

디자인 김민재

우리는 모두 너의 편 6기

유치원의 추억(?)

박예준

안녕하세요. 저는 5-2 박예준입니다. 제가 유치원때 많은 일이 있었지만 그중 재미있는 상황을 넣어 봤습니다. 그럼 시작합니다.

유치원 7살 마지막 날이었다. 그때 마지막이라고 우는 애들도 있었다.
그리고 점심시간 손 씻을 때였다. 내가 손을 씻고 나올 때 어떤 개구쟁이가 있었다.
그 개구쟁이랑 이야기하는데 그 친구가 나를 때렸다. 그래서 나는 울었다.
그때 선생님이 내가 우는 걸 보고 엄청 웃었다.
왜냐면 선생님이 마지막 날이었기에 우는 줄 안 것이다
그래서 나는 말했다.
"아 아니 그게 아니고."
그래서 선생님이 상황 파악이 됐을 쯤에는 밥을 다 먹고 나서이다. 그래도 날 때린 녀석이 혼나는 모습을 보니 고소하다:)
비록 지금은 잊을 수 없는 추억이지만 그래도 재밌는 것 같다::))

9명이 노는 법

박지후

 우리 9명이 학교에서 놀때는 여러 가지 방법이 있다. 첫 번째는 전체 술래잡기. 학교 전체를 요리조리 이동하며 노느라 시간가는 줄 모르는 놀이이다. 잡히게 된다면 암벽에 있다가 잡히지 않은사람이 구해주며 다 잡히게 된다면 게임이 끝난다. 하지만 다 잡히는 데에는 구해주기도 하고, 전체이기 때문에 다 잡혀서 게임 한 판이 끝난 적은 거의 없다.

두 번째는 라온 정원 술래잡기이다. 라온 정원에서 뛰어다니며 다 잡히면 끝나는 게임인데, 술래는 보통 한 명에서 두 명이고, 전체 술래잡기에 비해선 면적이 한없이 작기 때문에 끝나기는 나름 쉽다. 전체 술래잡기처럼 살아있는 사람이 구해주는데, 그때 잡히는 경우도 종종 있다.

세 번째는 반에서 수다를 떨거나 보드게임을 하는 것인데, 수다를 떨때는 보통 학예회 얘기나 좋아하는 아이돌 이야기이다. 보드게임을 하는 경우는 거의 없지만 종종 할 때는 할리갈리, 5초 준다 등등이 있다.

마지막으로 네 번째는 학예회 연습이다, 다 같이 하는 건 아이즈원의 파노라마를 연습한다. 각자의 느낌을 잘 살려낸 것 같아서 너무 잘 짠 것 같다는 생각이 든다. 학예회까지 더더 연습해야지 맞춰질 것 같지만 그래도 나름 맞춰진 것 같아 뿌듯하다.

이상한 오빠와 타코야끼의 결말

최린

안녕하세요. 저는 오빠가 있는 무거초 5학년 여학생입니다. 제목을 보고 왜 <이상한 오빠와 타코야끼>인지 궁금하실 수도 있는데 이야기를 보신 뒤에는 이해가 되실거예요.

그날 저는 여유롭게 타코야끼를 만들고 있었는데 오빠가 먹고 있던 손 위로 초코를 올렸습니다. 너무나 놀랐는데 다행 먹고 있어 안심했습니다. 다행이야 라고 생각했는데 그 순간 저는 다시 식겁했습니다.

그건 타코야끼에 들어가고 있는 초콜릿을 안 돼~~~ 저는 너무 놀라 꽁꽁 얼어붙었습니다. 미래가 제 눈에 쏙 들어갔습니다. 오빠가 혼나는 모습을요.....

결국 가족끼리 먹는 데 아빠에게 오빠가 엄청 혼났습니다. 하나 예외가 있었는데요. 그 예외는. 예외는 저까지 혼나는 것입니다. 그때는 너무 억울하고 오빠 때문에 혼나서 화가 났습니다. 오빠가 하는 말에 저는 웃음이 났습니다. 오빠가 말한 말은 '음~~초코 타코야끼도 맛있는데... '

진짜 웃으면 안 되는데 웃어서 오빠도 같이 빵 터졌습니다. 이제는 오빠를 보면 타코야기가 생각이 자주 납니다.

여기까지 제 사연이었습니다. 감사합니다.^^

2. 시인의 마을

우리 집 거북이

권민지

오늘도 느릿느릿 거북이를 타야만
학교를 갈 수 있다.

느릿느릿 거북이가
24층에서
18층 그리고
우리층 까지 왔다.

또 느릿느릿
1층으로 간다.

우리 집 느릿느릿 거북이가
빠른 토끼로 변했으면 좋겠다.

우리 가족은

권민지

엄마는 도라에몽
필요한 걸 언제든 척척 주시니까.

아빠는 뽀로로
항상 재미있게 놀아주시니까.

나는 흰둥이
부모님의 사랑을 독차지하고 있으니까

왠지 기분이 좋은 아침

권민지

아침 창밖을 보니
아주 화창했다.

내 마음도
아주 화창했다.

새도 힘차게 날아다니고
나도 날아다니고 싶은 기분이었다.

무슨 일이 일어날 것만 같았다.
맞다 무슨 일이 일어났다.
친구와의 약속이
5분밖에 안 남았다는 것이다.

그것이 문제로다

권민지

수학 단원평가의
마지막 문제는

36이냐? 72냐?

토끼굴

김도훈

컴퓨터 방과후를 마쳤다.
우리 교실에 갔더니
선생님이 계셨다.

3명이 가위바위보를 했다.
내가졌다.
토끼굴 속담을 생각했다.
그래서 그냥 갔다

해피

김도훈

나의 토마토 , 해피
잘자라고 있다.

빨리 자라면 좋겠다.
하루, 이틀, 사흘
언젠가 훌쩍 자라있겠지?

그림자

김도훈

나는 어디서나 우리형의 그림자

밥먹을 때도
씻고나서도
학원갈 때도
어디서나 간다

나는 그림자가 싫은데. .

중국집

김도훈

탕수육, 짜장면, 복음밥
다양한 메뉴
뭐 먹지?

난 짜장면
다음엔 뭐 먹지?

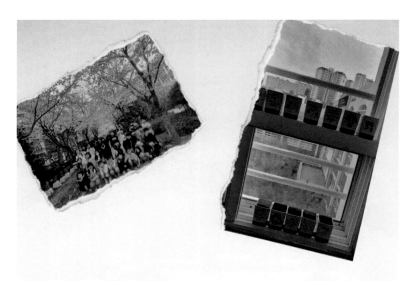

{1화}
우리는 모두 너의 편
우리편6기

동생의 반란

김민재

동생이 반란을 일으켰다.
그래서 동생을 잡아 혼냈다.

동생을 해치웠다.
다음에는 더 혼내야겠다.

YOU TUBE

김민재

YOU TUBE영상을 찍었다.
너무 힘들어서 완성본을 찍고 편집

완전 지옥이었다.

내가 괜찮은 사람이라고 생각할 때

김민재

기부를 할 때다.
1년 기부를 했다.
기부한 곳 세이브 더 칠드런이다.

기념품도 있다.

괜찮아 안죽어

김민재

축구를 했다.
안하던 골키퍼다.
저학년 고학년 팀으로 나누었다.
저학년이라 봐줄라 했다.

나보다 띠 높다.
골 먹혔다.
봐주지 말걸

망했다

김세인

대청소를 했다
망했다

수학 시험지를 잃어버렸다
망했다

독서기록장을 쓰지 못했다
망했다

암송대회가 다음 주다
망했다

방귀 흑역사

김세인

수업 시간에 갑자기 나온
방귀

방귀 소리에 선생님이 돌아보셨다
순간 정적이 흘렀다

순식간에 나의 흑역사로
기록되었다

그 놈의 방귀

층수 대결

김세인

우리 집은 11층
4층인 사람을 이겼다.
의문의 승리

우리집은 11층
22층인 사람에게 졌다
의문의 패배

숙제

김세인

조금 놀려고 하면 나타나고
조금 자려고 해도
조금 쉬려고 해도
어디선가 계속 뿅! 하고 나타난다.

문자

김주은

문자를 하면 이야기를 할 수 있다
문자는 재미있다

하지만 읽씹을 하면
차단 한다

시간

김주은

시간은 빨리 간다
하지만 특별한 날은 시간이 안간다

시간이 안가는 날도 있다
하지만 재미있으면 시간이 안 간다

인사의 좋은 점

김주은

급식 아주머니께 인사했다
급식 아주머니가 급식을 더 주셨다

앞 친구가 부러워했다.

월요병

김주은

월요일은 싫다
왜냐면 몸이 안 움직인다

월요일은 싫다
왜냐면 한 주의 시작이니까

엄마 전화

류하정

친구랑 만나서 놀았다
따르릉, 따르릉!
"숙제도 있고 샤워도 하잖아! 빨리 들어와!"
엄마의 으름장에 내 발걸음은
털레털레 힘이 없다

학교 가려고 엘리베이터를 탔다
따르릉, 따르릉!
"학교 잘 다녀와, 사랑해!"
엄마의 작은 사랑에 내 발걸음은
룰루랄라 힘이 넘친다.

시험

류하정

팽글팽글 국어 시험

빙글빙글 수학 시험

조마조마 영어 시험

안 무서운 시험이 없다

유리병 성운

류하정

내 건 멜론 소다
에메랄드 더하기 연두색 새싹

내 짝꿍 건 무지개 솜사탕
벚꽃 더하기 레모네이드 더하기 에메랄드

은하수라고 해도 믿겠네!
마법의 약처럼 예쁘다

술래

류하정

"얘들아, 술래잡기 하자!"
술래는 나다

"야, 지탈 하자!"
술래는 나다

"얼음땡 하지 않을래?"
술래는 나다

꼭 하자고 한 사람이 술래가 된다.

시원하다

배규빈

쉬 마렵다.

지릴 것 같았다.

학원가는 엘레베이터를 탔는데

문이 열렸다.

다른 사람이 탔다.

다른 사람이 내리고 나서

빙글빙글 돌았다.

으악! 살려줘!

내 안에 쉬도

빙글빙글 돌았다.

소변기에 도착하고

쌌다.

아 시원해

우리 가족

배규빈

엄마는 백종원
요리 할 때 백종원을 보니깐

아빠는 변기와 한 몸
화장실에 틀어박혀 있으니까

동생은 스컹크
내 앞에서 방구를
뿡! 뀌니까

나는 활력소
우리집에 웃음을 주니까

아깝다

배규빈

아침에 설사 세 번
점심에 39도
저녁에 죽을 먹고
열이 다 떨어졌네

까비~

학교 안 갈 수 있었는데

어딨지?

배규빈

휴대폰이
있었는데
없었다.

의심되는 세 명에게
다 물어봤지만
없었다.

그러더니
세 명 중 한 명이
스으윽 건넸다.

하...

공부해야 하는데...

이연후

띠리링 띠리링

벌써 4번째 알람이다.

침대가 '이불'이란 밧줄로

내 몸을 꽁꽁 감싸고

내 머리에 '잠'이라는 수면 마취제를 투여했다

오늘 재시 걸리면 침대 잘못이다

아빠 발견

이연후

휴게소에서
저만치 앉아 장난감 구경하는
아빠 발견

뒤에서 크게 안았더니

뒤돌아보는
아빠 발견
우리 아빠가 아니었다

저 멀리서 화장실 갔다 나오는
진짜 우리 아빠 발견

쉽지 않았다

이연후

절에서 염주 만들기를 했다
쉽지 않았다

염주에 구멍을 뚫어야 하는데
쉽지 않았다

낚싯줄에 꾀어야 하는데
쉽지 않았다

낚싯줄을 묶는 것도
쉽지 않았다

내 베개

이연후

어릴 때부터 쓰던
내 고양이 베개

어릴 땐 탄탄했던
내 고양이 베개

지금은 보들보들 흐물흐물한
내 고양이 베개

고양이 베개 꼬리를 꼭 잡고 자면 잠이 솔솔 온다

죄 있는 물건들

이유찬

연필은 죄가 있다
지우개를 힘들게 했으니까

선풍기도 죄가 있다
날을 힘들게 했으니까

연필깎이도 죄가 있다
연필의 키를 작게 만들었으니까

학교도 죄가 있다
학생들은 힘들게 했으니까

엄마랑 싸운 날

이유찬

엄마랑 싸웠다

엄마는 나를
흔들어서 깨우고
물 뿌려서 깨우고
얼음 볼에 대서 깨우고 했다

"아~ 엄마!"

우리 가족

이유찬

아빠는 숫자
기분이 어디까지 있는지 모르겠으니까

엄마는 선풍기
나를 어떻게 혼낼지 생각하며 머리를 돌리고 있어서

동생은 껌
뗄라 해도 계속 붙으니까

나는 러시아
그만큼 마음이 넓으니깐

학원 탈출 법

이유찬

학원을 탈출하려면......

cctv가 없는 사각지대로 슝~
문 앞으로 슉~
발 구르면서 문 열기 샤샥~

드디어 탈출이다!

어?!
가방 안 챙겼다

고기집

이정우

5월 4일에 고기집에 간다.
아빠가 말했는데 고기 구울 때 불 쇼를 한다.
너무 기분이 좋다.
사진을 보았는데
빨리 가고 싶어진다.

역시 토요일이 좋다.

영화관

이정우

영화관에 엄마하고 쿵푸팬더4
보러 갔다.

재미있었다.
나는 또 보고 싶어진다.

강아지

이정우

친구들하고 강아지를 봤다.
왜 왔는지 알았다.

생명 존중 수업이었다.
그래서 강아지가 왔다는 것이다.
나는 강아지가 와서 좋았다.
너무 좋았다.

선생님이 없는 한 주.....

이정우

슬프다.

왜냐하면 선생님이

안오셔서다.

꿈꾸는 봄

최린

벗꽃들이 바닥에 있다
긴 꿈을 구는지
바람에도 미동이 없다

아직 나무에서 노는 벗꽃들이
나에게 인사를 한다.

벗꽃들이 일어나
나에게 인사를 할 수 있으니
항상 봐야겠다.

월요병

최린

나는 월요일이
싫지도
좋지도
않다

하지만
월요일 아침에는
큰일이 난다

바로
이불 속에서 나올 수 없는 것

치과 가는 날은?

최린

와플 먹으러 가는 날
냠냠

주스 먹는 날
호로록 호로록

간식 사는 날
냠냠 쩝쩝

내가 솜사탕이 될 때

최린

친구들을 도울 때
멋진 빨강 솜사탕

가족을 도울 때
노란 솜사탕

솜사탕이 모이면
거대 솜사탕

거대 솜사탕은
내 마음이 따뜻해진다.

신호등

한호성

평화롭게 신호등을 기다리고 있었지
반대편 신호등이 먼저 켜졌지
뭔가 진 것 같다.

신호등이 또 있었지
1초 남기고 못 건넜지
화가 나서
보행자 작동기 광클!!!!!
따다다다다다다다다다!!!

유튜브 좀!! 보자!!!!

한호성

유튜브를 보고 있었다.
갑자기 동생이 tv를 껐다.
난 다시 켰다.
동생이 또 껐다.
난 또 켰다.
동생이 껐다.
너무 얄미웠다

마지막으로 켜니까
동생이 티라노처럼
소리지르며 울었다.
왜 이러는 것 일까?????

오잎클로버

한호성

어제 오잎클로버를 보았다.
세잎은 행복
네잎은 행운
오잎은 로또?!?!

밤에 아빠와 함께
복권을 샀다.
일등이다!!
인생역전이다!
사실......
뒤에서 일등
꽝!!!!!

시

한호성

너무 길면 안 돼
이야기가 되니까.....

너무 짧으면 안 돼
이 시처럼 되니까.....

5-2. yeonhu's poem

WE ARE ALL ON YOUR SIDE
우리는 모두 너의 편

아빠가 아니었어.

강지예

부모님과 동생이랑 시장을 갔다.
아빠가 화장실에 갔다.

아빠 뒷모습이 보였다.
아빠가 못 들은 것 같다.
더 크게 불렀다.

아빠가 내 뒤에
나타났다!

내가 불렀던 사람은
아빠가 아니었다.
창피하다.

승천한 벚꽃

강지예

교실에 오니
벚꽃이 하늘로
슝~날아간다.
예쁘다.

계속 보니
무섭다.

사람이 승천하는 것
같다.

우리 가족

강지예

엄마는 은행이다
돈이 많아서

동생은 악마다.
자기한테 만만한 사람만
괴롭혀서

아빠는 어설픈 셰프다.
요리를 잘하지만
좀 어설퍼서

친할머니, 친할아버지는 천사다.
우리 가족 중 제일 착해서

커플

강지예

꽁냥꽁냥 사이좋은
1학년 커플

손잡고 폴짝폴짝
부럽다.

우리 가족

김보민

엄마는 곰 인형
계속 안아 준다
아빠는 게이머
게임을 잘 한다

동생은 귀요미
귀여워서
나는 기사

나만의 나라

김보민

엄마가 없다 나만의 나라
아빠가 있다 아빠의 나라

나도 나라를 만들고 싶다
그래서 만든 나라 이불나라
나만의 나라다.

이상한 나라

김보민

이상하다
모든 게 반대로다
동생이 언니가 되었다
게임 세계도 반대로다

꿈이다
너무 다행이다

기다림

김보민

놀이동산에 간다 기다린다
설레니까
경주에 간다 기다린다
기쁘니까

사촌동생 돌잔치 기다린다
돌잔치 때 보니까

숙제는 안 기다린다
하고 싶지 않으니까

뭔가 빠진 날

김보희

학교를 갈려고 부리나케 준비를 하였다.
학교를 갈려고 집을 나갔는데
무언가 빠진 거 같다.

나는 혹시 하는 마음으로 가방을 확인하였다.
다행이다 있을게 다 있었다.
나는 가던 길을 갔다.
엘베가 너무 늦게 왔다 나는 시비를 걸었다

엘리베이터

김보희

나는 신이 나서 노래를 하며 춤까지
추었다.
엘리베이터 에서도 똑같이 하려고 했는데,,,

사람이 있어 못하였다.

뭔가 빠진 날2

김보희

무언가 빠진 것 같다.
기분전환 하려고.
엘레베이터 앞에서
노래를 부르고 있는데 언니가 왔다.

우리 가족

김보희

우리 엄마는 요리사다
매일 맛있는 음식을 해주기 때문이다.

우리 아빠는 강아지다.
왜냐하면 장난을 많이 치기 때문이다.

우리 언니는 아이돌이다
왜냐하면 매일 춤을 추기 때문이다.

나는 공주다
왜냐하면 예쁘기 때문이다.

요동친다

김지원

갑자기 내 배가 요동친다.
엄마는 밥 먹으라고 요동친다.
아빠 차는 기름 달라
모든게 다 요동친다.

배가 안정되니

이제 배고프다고 요동친다.

할머니 겉절이

김지원

오늘 내 아침은 모닝빵
우적우적

동생 아침도 모닝빵
우적우적

엄마는 할머니 겉절이를 우적우적
난 한 입만 달라고 우적우적

월요일의 조건

김지원

일단 월요일이 되기 위한 조건은
무조건 귀찮아야 하고,
일어나기 싫어야 하고
엄마 잔소리도 첨가해야 해.

더 재밌는 꿈을 꾸게 해야 되고
이불을 조금 더 포근하게 만들어야되.

하지만 제일 중요한 조건은
가끔씩 재밌는 날도 있어야 한다는 거야.

도시 괴담

김지원

도시괴담
비오는 날 아파트에서 귀신이 나오는
도시괴담

학교괴담
학교를 공동묘지 위에 지었다는
학교괴담

엄마괴담
공부하다가 폰 보면 엄마가 나타나는
엄마괴담

시간

민정연

학원이나 공부할 때는
째깍 째깍
1분이 1시간 같은데

핸드폰하고 게임할 땐
째깍 째깍
1분이 1초 같다

시간은 이상해

가짜 친구

민정연

친구다!
우다다다 달려가
야! 하며 등을 쳤는데

헉! 친구가 아니었어

행복한 주말

민정연

친구랑 놀았다.
물총놀이도 하고
울대도 갔다

참 재밌는 주말

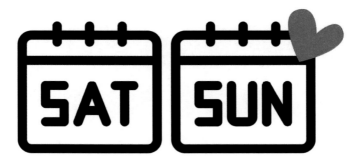

합주부

민정연

합주부의 공연 소리가 웅장하다
멋지다
사람들의 환호성도 웅장하다
멋지다

나의 매력

박지현

내 매력은 !
바로 웃음소리다
친구들은 내 웃음소리가 이상하다고 하지만
나는 그게 매력이라고 생각한다

왜냐하면
나 자신까지 웃음소리를 싫어하면
결국은 내 자신을 미워하는 것 같아서이다

우리 가족

박지현

엄마는 기린 , 미용사다
엄만 키가 크고, 메니큐어 속눈썹 일을 하기 때문이다.

아빠는 우리 집 제2의 요리사 !
음식이 너무 맛있기 때문이다.

언니는 우리 집 제1의 왕이다
나를 맨날 심부름 시키기 때문이다

나는 편식쟁이다
집밥은 많이 남기기 때문이다.

핸드폰

박지현

핸드폰을 잃어버렸다
망했다.

가방을 뒤적뒤적 거려도 없다.
혹시!!
주머니를 보니 있었다

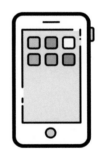

다행~

은 이빨

은 이빨이 빠졌다

내가 뺐다
아프지도 않았다
내 은 이빨을 가까이서 보니
못생겼다

닭다리

박한율

치킨 두 마리가 나오자마자
닭다리 2개를 가져갔다.
아빠는 0개였다. 그래서 맥주를 벌컥벌컥 마셨다.
진실게임을 하자 했다.
엄마 아빠가 나한테 계속 물어봐서
맨정신으로는 안 될 것 같았다.
그래서 사이다를 벌컥벌컥 마셔서 탄산에 취했다.

눈

박한율

간지러운 걸 참고 있는데 계속 간지럽다.
참고 참고 또 참았는데 결국에는 눈을 비볐다.
오른손으로 비비고 왼손으로 비비고
팔도비빔면이 생각나도록 눈을 비볐다.
꽃가루 알레르기한테 복수 할 거다.

가을

박한율

가을은 쌀쌀하다.
가을에 혼자 있으면 쌀쌀하고 씁쓸하다.

겨울

박한율

위에 지방에는 눈이 온다.
밑에 지방에는 눈이 안 온다.
그 대신 밑에 지방에는 눈물이 나온다

{2장}
우리는
모두 너의편

우리편 6기

이유찬 만듦

수 학 학 원

박지후

수학학원에서의 책한권
그것을 끝내는 것은
수학학원의 유일한 쾌감

좋은 사람이 되는 법

박지후

좋은 사람이 되려면
힘든 사람에게 베풀고,
좋은 말을 해주는 것은

좋은 사람이 되는 법이다.

무슨일일까?

박지후

아침부터 오묘한 기분
무슨일일까?

익숙하지 않은 등굣길
무슨일일까?

물총놀이

박지후

아침부터 만난 친구들
물총놀이 시작
시원한 물

재밌는 물총놀이

떡볶이

신지수

집에 아무도 없다.
그렇지만 배가 고프다.

나의 굶주린 배를 가득 채워준
맛있는 떡볶이.

커플

신지수

1학년 커플이다.
깨지면 좋겠다.

그래도 응원해야지
알콩달콩하고 잘 살아라.

계좌

신지수

5천원밖에 없다.

어떡하지?

5만원 될 때까지 모아야지.

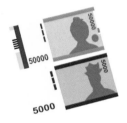

강

신지수

친구 팔찌가 강에 빠졌다.

어떡하지?

그냥 포기해야겠다.

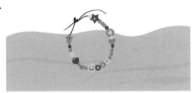

생일파티

이지후

생일파티를 하였다
오늘 만큼은 내가 주인공!

드디어 촛불을 불었는데
못 불었다
친구가 불었기 때문이다

드디어 생일선물을 뜯었는데
못 뜯었다
친구가 먼저 뜯었기 때문이다.

고막테러

이지후

고막테러를
당했다.

"쑤우우우우우우우!!!!"

아직도 환청이
들리는 것 같다

그 친구한테
복수해야지!

미술대회는...

이지후

기대된다!

신난다!

지겹다

힘들다
지친다

내 체력으로는
미술대회는 하늘에 별 따기다.

아이스크림

이지후

아이스크림을
먹었다

오줌이 조금
마려웠다

아이스크림을 한입
더 먹었다

오줌이 마려웠다

아이스크림을
먹었다

화장실에서 오줌을 쌌다.

똥! 강아지!

정세인

우리 집에는 똥강아지가 산다.

똥을 치워주면 그새 또 싼다.
공부하고 있으면 그새 또 싼다.

더는 못 참겠다.

이놈의 똥강아지!
이놈의 똥! 강아지!

배 신

정세인

친구랑 같이 가기로 했는데
늦는다고 했다.

도망쳐!

나는 친구를 버리고 우사인 볼트처럼 뛰었다.

친구가 삐치진 않겠지?

도둑이 아니었어

정세인

돈을 챙겨왔다.

사람들이 나만 쳐다본다.
'저 사람이 내 돈을 노리는 게 분명해!'

후문에 도착했다.
털썩!!
"도둑이야!"

어! 친구네.

복수의 화신

정세인

따르릉
친군가?
국민의 힘 어쩌고 후보다.
따르릉!
민주당 거시기 후보다.

띵! 메시지다.
국민의 힘 후보다.

내 시간 물어내!

텅 빈 의자

정지유

교실에 오니
선생님이 자라에 없는
텅 빈 의자

선생님 언제 오시지?

아빠의 전화

정지유

"띠리리링"

"마트로 와"

뚝

아... 마트가기 싫은데

1학년의 짝사랑

정지유

등굣길에 커플 같은 1학년을 보았다.
커플인 줄 알았는데

남자애는 여자애 팔을 잡고
여자애는 "놔!"라고 한걸 보니
남자애의 짝사랑인거 같다.
휴 커플 아니어서 다행이다.

붙임머리

정지유

우리들이 붙이면 포인트
선생님이 붙이면
새치가 된다고 하셨다.

선생님이 없는 한 주는

조재형

피곤하다
왜냐하면 선생님의 수업이 더 좋은데

팥이 없는 붕어빵, 뜨거운 밀면이다
왜냐하면 하면 선생님이 그리우니까

좋은 친구란

조재형

좋은 친구란

머리카락을 잘랐을 때
잘 어울린다고 말해주는 친구

심심할 때
수다 떨어주는 친구

속상할 때
위로해주는 친구

나는 이런 친구가 좋다

우리 가족

조재형

엄마는 판사
모든 것이 공평하니까

아빠는 라면만 잘하는 미슐랭 셰프
아빠는 라면만 잘하고 다른 것은..........

동생은 적이자 동료
자신이 싫어하는 것을 하면 때리고
좋아하는 것을 하면 칭찬해주기 때문이다

나는 제2의 아빠
나도 아빠처럼 장난을 많이 치니까

날아본 동생

조재형

난 또 동생에게 시비를 건다네
내가 먼저 두 방을 때렸다네
동생도 질세라 세 방을 때렸다네

하지만 내 강력한 한 방 펀치에
동생이 날아갔다네
내가 오늘은 이겼네

째 깍 째 깍

최영민

째깍째깍 운동 끝나는 시계
또 다시 배꼽시계

집에 가니 잠 시계
다시 학교 가는 시계

아침부터 육상경기

최영민

아침부터 쿵쾅쿵쾅
복도 레일을 따라 육상경기

옆 친구와 쿵쾅쿵쾅

내가 1등이다.

금 같은 주말

최영민

와 훈련 끝났다.
드디어 주말이 왔다.
드디어 주말 훈련 끝났다.
드디어 공부 끝났다.

금 같은 주말이 이렇게 끝나네

흔치 않은 광경

최영민

새똥 맞았다!
친구가 말하자 동네방네 소문난다.
서로 싸우다 깨진 멘탈처럼
우정도 깨진다.

과목

박예준

하나는 재미없고,

하나는 지루하고,

하나는 그저 그렇지만

3가지는 재밌다

세상에서 가장 작은 연필

박예준

세상에서 가장 작은 연필을 만들었다.

기네스에 올라도 될 정도인 것 같다.

근데......
너무 작아서
쓸 수가 없다.

흙탕물

박예준

물을 마셨다.
알고 보니
먼지가 가득 들어있는
흙탕물 이었다.

바로 뱉었다

에헤이

이거 맞나?

박예준

덜컹 쿵
도로를 청소하는 차가
청소를 하는데
흙덩이, 돌덩이를
뱉으면서
청소를 하고있다

이거 맞나?